纽伯瑞国际大奖小说集

Hitty: Her First Hund

木头娃娃历险记

[美]雷切尔·菲尔德/著　田 方/译

山东科学技术出版社
·济南·

图书在版编目（CIP）数据

木头娃娃历险记 / (美) 雷切尔·菲尔德著 ; 田方译 .
— 济南 : 山东科学技术出版社 , 2018.3（2024.5 重印）
（纽伯瑞国际大奖小说集）
ISBN 978-7-5331-9159-7

Ⅰ . ①木… Ⅱ . ①雷… ②田… Ⅲ . ①儿童文学 – 作品综合集 – 美国 – 当代 Ⅳ . ① I712.8

中国版本图书馆 CIP 数据核字 (2017) 第 299994 号

纽伯瑞国际大奖小说集
木头娃娃历险记
NIUBORUI GUOJI DAJIANG XIAOSHUO JI
MUTOU WAWA LIXIANJI

责任编辑：董小眉
装帧设计：艺唐广告

主管单位：山东出版传媒股份有限公司
出 版 者：山东科学技术出版社
地址：济南市市中区舜耕路 517 号
邮编：250003 电话：（0531）82098088
网址：www.lkj.com.cn
电子邮件：sdkj@sdcbcm.com
发 行 者：山东科学技术出版社
地址：济南市市中区舜耕路 517 号
邮编：250003 电话：（0531）82098067
印 刷 者：湖北鑫光印务股份有限公司
地址：湖北省云梦经济开发区三湖大道 13 号
邮编：430070 电话：（0712）4084888

规格：16 开（155 mm × 220 mm）
印张：10 字数：200 千
版次：2018 年 3 月第 1 版 印次：2024 年 5 月第 3 次印刷
定价：19.80 元

前　言

纽伯瑞儿童文学奖简称纽伯瑞奖，该奖项是由美国儿童图书馆服务协会（Association for Library Service to Children，ALSC）为纪念英国儿童文学作家和出版家——纽伯瑞而设立的。

纽伯瑞出生于1713年，他出版了世界上第一本儿童书——《美丽小书》，开办了世界上第一家专门的儿童图书印刷厂、世界上第一家专门的儿童书店。他出版发行的儿童文学书籍深受孩子们的喜欢，他由此开辟出了一条英美儿童文学之路，因此后世称之为“儿童文学之父”。

以纽伯瑞命名的纽伯瑞奖，1922年创办，每年评选和颁发一次，奖励前一个年度出版的优秀英语儿童文学作品，一直延续至今。纽伯瑞奖历史悠久，对美国乃至世界的儿童文学都影响深远。该奖项获奖要求之严格，获奖作品水准之高超，均是有目共睹、众所周知的。纽伯瑞奖获奖作品题材广博，不仅针对儿童的各种心理，诸如恐惧、忧愁、悲伤等做出开解，还蕴含了对全人类和大自然悲天悯人的关怀。因此历年来获得纽伯瑞奖的优秀作品，被每个美国家庭收藏，成为每个美国青少年的必读书目。

正因为纽伯瑞奖的权威性和经典性，我们特从获奖作品中选取了八本历年来畅销不衰、深受小读者们喜爱的作品，旨在帮助更多的青少年阅读到经典的优秀儿童文学作品，从中感悟到人性的光芒和力量。

该八本经典文学作品分别是《彩虹鸽》《牧牛小马斯摩奇》《胡桃木小姐》《草原上的小木屋》《吹号手的诺言》《杜立德医生航海记》《木头娃娃历险记》和《兔子坡》。

其中，《彩虹鸽》讲述了一只脖颈处有着彩虹一样绚丽颜色的鸽子充满传奇的一生，处处流露出作者对生命和大自然的关爱；《牧牛小马斯摩奇》则讲述了一匹名叫斯摩奇的野马跌宕起伏的一生，从性格开朗到暴虐，之后变得逆来顺受，最后再次被主人的关爱激活，重新找回快乐，该书悬念迭出的故事情节定会让青少年爱不释手；《杜立德医生航海记》讲述了精通动物语言的杜立德医生传奇的航海故事，该书想象力丰富，故事情节跌宕起伏，一直备受青少年喜爱……

该八本书每一本都精彩纷呈，不再一一赘述。期待小读者们能自己拿起这套书，亲自去发现里面的丰富和传奇；也盼望着这套书能成为小读者们人生路上的启发者，帮助小读者们拥有向上和向善的力量！

纽伯瑞国际大奖小说集

目录

第一章
我"诞生"啦

我是一个历经了百年的娃娃，是的，没错，我已经有一百多岁啦，但我还是一个娃娃！不过，直到现在，我还记得自己“诞生”的那一天。

那是一个寒冬，货郎爷爷还在走街串巷到处兜售他的那些小玩意儿，有时候生意惨淡，有时候则被小孩儿围得团团转。可不论如何，他一直都把一块花楸木带在身边，因为大家都认为花楸木能带来好运。为了能卖出更多的玩意儿，他跑遍了所有乡村，最后到了一个很荒凉的村落。村子里到处都是树，根本没有几户人家，再往前就是大海了。这时大雪纷飞，狂风呼啸，像是要把他吞没，积雪已经封住了所有道路。正在慌乱之际，货郎爷爷看到了不远处的灯光，就像一个溺水的人抓住了棍子一样，他急忙朝灯光处走去。

亮灯处是布尔太太的家，布尔太太热情地接待了货郎爷爷。暴雪天到处都缺人手，虽然布尔太太请了一个男孩——安迪来帮忙，可因为布尔先生出海了，得要一个多月才能回家，布尔太太要喂马、喂牛、喂鸡，还要给家里生火做饭、做家务、铲积雪……显然人手是不够的！因此货郎爷爷的到来让布尔太太非常高兴。货郎爷爷也决定留下来帮忙干点儿活，等开春了之后再说。

布尔太太有个可爱的女儿，名叫菲碧，她金发碧眼，性格温和又友善。她经常缠着货郎爷爷，让他讲故事或者和他一起玩那些玩具。当货郎爷爷得知菲碧非常想有一个自己的娃娃时，他决定亲自来为她雕刻一个。

于是，他拿出了那块随身携带的花楸木，靠在壁炉旁，琢磨了半天就开始雕刻了。货郎爷爷雕刻得很认真，过了好久，我听见菲碧兴奋地说："妈妈，快看，娃娃的脸已经雕好啦！"这是我听到的第一句话。大家都围了上来，纷纷对货郎爷爷的手艺赞叹不已，货郎爷爷不慌不忙继续雕刻身体，在人们的惊叹声中，我终于"诞生"了。然后，货郎爷爷将我放在壁炉上，让油漆能快点干，菲碧已经迫不及待要和我玩了，她瞪着大大的眼睛一动不动地

看着我，并且赞叹道："妈妈，你看她真漂亮！"

"好啦，菲碧，要等她身上的油漆干了你才能和她一起玩。对了，咱们还得给她缝一身衣服！"说完，布尔太太就拿出了针线盒，还有一包布头，就这样她们一起给我做了第一套衣服。我到现在都还记得那套衣服，黄色的棉布上缀满了红色的小花，又舒适又美丽。菲碧不是一个爱做针线活的姑娘，可那天晚上，她为了给我做衣服，安静地坐在壁炉旁缝制，那副认真的样子让大家都感到很惊讶，而我则尤其感动。

"菲碧，我想你还得为你的娃娃取一个好听的名字。"布尔太太微笑着对菲碧说道。

菲碧歪着脑袋想了半天，说："我想叫她凯蒂！"菲碧还将这个名字绣在了我贴身穿的衬裙上。

"妈妈，你看！我绣好了！"

"太好了，菲碧，这样不管她去哪里，大家都能知道她的名字。"

"她哪儿都不去，她永远都是我的娃娃！"菲碧喊道。

哦，菲碧，我真希望我能永远都是你的娃娃，永远和你在一起。但世事难料，人们永远都不知道下一秒会发生什么。

过了好几个星期，她们终于给我做好了一切行头，裙子、帽子、袜子……为我打扮好之后，菲碧高兴极了，那是一个星期六的晚上，她几乎整晚都把我抱在怀里。

“菲碧，明天是星期天，你不能玩娃娃。”布尔太太说道。在那个年代，孩子们禁止在星期天玩玩具。“我先给你收起来，周一再玩吧！”说完，布尔太太就把我放进了一个旧衣橱的最上面的一层抽屉里。

“哦，妈妈，我多想和凯蒂多玩一会儿啊！”菲碧悲伤地低声说道。

“好了，孩子，去睡觉吧，明天还要去教堂呢！”布尔太太安慰道。于是，菲碧不情愿地上床了。

第二天，菲碧早早地穿好了衣服，趁着妈妈还在准备的时候，她偷偷地站在凳子上，轻轻地打开了衣橱的抽屉，看了看我，我知道她在努力克制着跟我玩的念头，此时她心中充满了矛盾。

“不行，今天是星期天，不能玩娃娃！我一定不能玩娃娃！”菲碧小声地叮嘱自己。

“可我不玩，我就是来帮你整理整理衣服，凯蒂，衣服乱了可不好！”她继续自言自语道。

就这样，她把我从抽屉里拿了出来，然后藏到了她的暖手筒里。“不会有人知道你在我的暖手筒里的，凯蒂。”

这时，布尔太太过来了。“菲碧，你准备好了吗？要出发了，否则就赶不上唱赞歌了！”布尔太太催促道，说完她就急匆匆地找自己的头巾，当然她根本没有注意到我已经不在抽屉里了，而且她也没注意到菲碧的脸涨得通红。

过了一会儿，她们就出发了。菲碧将我藏在暖手筒里，里面的确非常暖和，但我什么都看不见，外面偶尔会透进来一丝耀眼的光亮。不过我能感觉到我们正坐在雪橇上，因为我听到了马蹄踏雪的咯吱声，还听到了雪橇上的铃铛正在当当当地响个不停，偶尔还能听到货郎爷爷甩着鞭子的啪啪声。

过了好久，我感觉马车停下来了，布尔太太和菲碧从雪橇上下来了，一想到马上就能进教堂，我感到很兴奋，要知道娃娃是不能进教堂的啊！不过我躲在暖手筒里什么也看不见，只能竖起耳朵听了。

时隔多年，我仿佛还能听见人们起立坐下时衣服发出的窸窸窣窣的声音，以及他们唱诵的虔诚的赞美诗：

普天之下都当颂扬，
赞美上帝奇异恩典。

这庄严的歌声仿佛来自天际，就是人们常说的“天籁之音”，听到这赞美诗，即使身为娃娃，我都能感受到这份肃穆与崇高。

人们唱完赞美诗之后，就是牧师布道和祷告了，这一环节花了很长时间。菲碧可能还小，她听不懂牧师所讲的内容，听着听着就感到百无聊赖，之后倒在妈妈身上睡着了。唉，她睡着了，我可就要倒霉了。

她睡着后，暖手筒滑落到地上，我也从暖手筒里跌落出来，摔了个狗啃泥，不过那时正好人们要站起来做最后一次祷告，没有人注意到我掉落时发出的声响。暖手筒掉到了安迪的脚下，他捡起了暖手筒。

怎么办，没人注意到我，祷告结束后，大家都纷纷离开了，布尔太太也拉着菲碧和安迪走了。

“菲碧，我在这里啊！”我多想开口向菲碧求救，无奈我只是个木头娃娃，根本开不了口。

之后，我听到了菲碧乘坐雪橇离开了，雪橇上的铃铛还在欢快地响着。哦，菲碧，快来救我啊。我简直欲哭无泪。这时，大门锁上了。我猜想，菲碧已经发现我不在了，但她不敢向妈妈吐露，最后只能在布尔太太的催促下离开了。我就这样被丢在了教堂，这是我第一次出门，难道我就要从此和菲碧永别了吗？哦，真是太不幸了。

我在极度的悲伤中度过了日日夜夜。门外狂风怒吼，吹得门窗哐哐直响，门窗上的钉子都快被吹掉了。教堂里没有暖气，冷极了，我感觉我全身都快要冻裂了。不仅如此，教堂里还有好几只蝙蝠，白天它们倒挂在悬梁上，大家都相安无事，可一到晚上它们就到处乱飞。有好几次它们低空飞行的时候，我都能看到它们黑得发亮的小眼睛和锐利的尖爪。哦，这真是可怕的经历，我再也不愿经受第二次了。

有一天，我听到了开门的声音，难道有人进来了？原来是教堂负责巡视的执事。我要怎样才能引起他的注意呢？我的手指就像戴着手套一样无法活动，我只能动动腿了，于是，我使出了全身的力气抬起了大腿，“砰砰砰”，我用腿敲击着地板发出了响声。这声音在空旷的教堂里回荡着。那执事倒吸了一口凉气，哐当丢下一个类似扫帚的东西就往外走。“天啊，这是什么声音，太可怕了！”他边走边嘟囔道。

走出大门后，他迅速地锁上门离开了。我的希望再一次破灭了。哦，我到底什么时候才能离开这个鬼地方啊！我简直痛不欲生了。

就在我以为自己会在这里待一辈子的时候，突然有一天，货郎爷爷和安迪来到了教堂，他们毫不费劲地就找到了我，并且把我带回了家。我真的没法形容我当时的心情，我简直高兴地快要飞起来了。躺在菲碧的怀中，我感觉温暖又舒适，这里就是我的天堂啊！

后来我才知道，菲碧向妈妈招认了将我带到了教堂的这件事情，并且承诺如果能把我找回来，她愿意接受任何惩罚。就是因为菲碧的诚实，我才最终获救。

把我接回来之后，布尔太太下令，菲碧必须要绣完一条长长的刺绣后才能和我玩。菲碧接受了这样的惩罚，她忍了好几天，终于在唉声叹气与泪水涟涟中绣完了那几句名言：吐露真相虽然痛苦，但让人进一步接近圣洁，永远以至诚之心待人，一生好友相随。

“菲碧，记住这次教训，做个乖孩子！”布尔太太摸着菲碧的头说道。

“好的，妈妈，我一定记住！”菲碧乖巧地说。

“孩子，和你的凯蒂一起玩吧！”

菲碧兴奋极了，她把我搂在怀里好久好久。“凯蒂，我再也不想和你分开了！真的，一天都不想！”

哦，亲爱的菲碧，我也不想和你分开啊。我在心里默默地说道。

我们一整个冬天都在一起，这里的冬天太漫长了，一直到三月中旬，家里都需要生火，菲碧时常抱着我坐在壁炉边，为我打扮，试穿各样的衣服。我们玩得开心极了。

三月中下旬河流开始解冻了，气温一点点回升，青草慢慢地长出了绿芽。到了五月份柳叶都开始变绿了，接着突然有一天，紫罗兰和雪莲花像是从地里冒出来似的，全都开放了。我第一次看到这么多漂亮的花朵，真是心花怒放。

马路不再泥泞，到处都充满了鸟语花香，货郎爷爷看着天气好了，路也通了，于是决定离开这里。布尔太太还给他做了一大袋食物，让他带在身边用以果腹。

货郎爷爷离开的那一天，菲碧将我搂在怀里，与安迪一起，将货郎爷爷送到了大路上，目送他离开。货郎爷爷一瘸一拐地走了，他背着那个大大的袋子，似乎都快把他的腰压弯了。他走到路的尽头后，还特意回过头来冲我们挥了挥手，我们也对他挥了挥手，直到他从我们的视线消失。那是我最后一次见到他，我想我这辈子恐怕再也见不到他了。

第二章

我"飞"上了天!

货郎爷爷离开后，日子好像变得很冷清了，不过没多久，布尔先生就回家了。

我还记得第一次见到布尔先生时，我简直惊呆了，因为我从来没见过像布尔先生那么高大的人，用布尔太太的话说，布尔先生接近两米，就像个巨人!

不仅如此，布尔先生拥有一双最明亮的蓝眼睛，当他笑起来的时候，他的眼睛就眯成一条缝，从那眼缝里透出万丈光芒。布尔先生常常大笑，他的声音特别洪亮，轰隆隆地像雷鸣。

布尔先生还给家人带回了一堆好东西，有丝绸、头巾、珊瑚，还有很多从世界各地收集到的好玩意儿。

“妈妈，这些玩意儿够我玩好久啦！爸爸，你真是太好了！”菲碧看到那些东西兴奋极了，她高声喊叫道。

“瞧，看她这个样子，像个调皮的男孩！”妈妈笑着对布尔先生说。

布尔先生把菲碧举过头顶，亲了亲她。

“爸爸，你看，这是我的娃娃，她的名字叫凯蒂！”菲碧连忙向布尔先生介绍了我。

“你好，凯蒂！”布尔先生笑着和我打招呼。

你好，布尔先生！我在心里喜悦地说道。

和菲碧在一起的这个夏天真是让人开心极了，我们乘着马车到处玩耍，还去了附近的农场，我们在河里划着渔船游玩，风吹拂在脸上，真是非常惬意。

邻居们经常来菲碧家做客，她们往往会带来漂亮的花，比如玫瑰、雏菊等，这些花朵把屋子装扮得异常美丽。说起花儿，这里的花朵品种繁多，而且开得特别茂盛，菲碧经常去草地上采摘野花和野草莓。

可是有一次菲碧去采摘野草莓时，我再次陷入了险境。

那天布尔太太让菲碧和安迪去摘些野草莓做果酱，他们就到了离家不远的草地上去采摘。

安迪拿了个大大的篮子，而菲碧拿了个小篮子，当然她还带上了我。

但他们采了一会儿就发现野草莓已经所剩无几了，早就有人先下手为强了。

“怎么办，安迪，没有多少了！”菲碧失望地说道。

安迪想了一会儿说：“我们去远处看看，我知道有个地方，那里的草莓又大又甜，而且没人知道。”

“可是妈妈让我们不要走太远！”菲碧小声地说。

“的确如此，不过是她让我们去摘草莓的，这里没有，我们就只得到别的地方去寻找啊！”安迪是个不轻言放弃的人。

安迪这句话说得菲碧心动了，于是菲碧带上了她的小篮子跟在安迪后面去寻找那片人迹罕至的野草莓地。

“菲碧，昨天我听说这附近又有印第安人出没了！”安迪说道，“听说他们一大群人，是来卖篮子和一些别的什么东西，如果你独自碰到他们，可千万别理他们。不过最好是不要碰到他们！”

“哦，印第安人！”菲碧声音颤抖地说道，“我害怕！”

“没关系，有我在。来，跟着我，我们快到了！”安迪拍拍胸脯说道。

天气非常炎热，石头都快被太阳烤焦了，菲碧穿着拖鞋，脚被烫得通红。

终于来到了草莓地，这里果然没人来，一大片野草莓红彤彤的。

菲碧忘记了害怕，她把我放在树底下，自己带着篮子去采草莓了。

远远地，我只能看着他们的头顶在太阳下晃动着。这里风景怡人，蓝色的海面散发着耀眼的光芒，白色的浪花拍打着礁石，海鸟在空中飞翔，一派祥和的景象。菲碧和安迪两人边采草莓，边交谈着。

哦，真是惬意啊！

“啊！印第安人！”突然，菲碧大声叫了起来，“安迪，快看！”

菲碧指了指我身后的丛林，他们俩眼睛瞪得圆圆的，这时还没等菲碧反应过来，安迪就拉着她的手朝着海滩的方向飞奔过去，他们采摘的野草莓撒落了一地，但顾不上了，他们只是害怕得一个劲朝前奔。

菲碧，带上我啊！我恨自己不能叫出声来。真是不敢想象，菲碧居然将我忘在这里了。

身后传来了嘟嘟囔囔的声音，这时我看到了五六个印第安妇女，她们穿着鹿皮靴，戴着珠串来采摘野草莓。

她们胖乎乎的，虽然乌黑的头发乱糟糟的，但看上去和蔼可亲。

我还看到了一个印第安小婴儿，他的眼睛亮闪闪的，就像夜空中的星星。等她们摘完了野草莓就穿过丛林回家了。

这时太阳下山了，天空慢慢地暗了下来，只有远处橘红色的彩霞放出耀眼的光芒。

我开始心急如焚了。我一个人如何能在野外度过一个个漆黑的夜晚呢？

亲爱的菲碧，你会回来找我，带我回家吗？我在心里暗自思忖着。

一大群乌鸦在空中盘旋，它们嘎嘎嘎地叫着，吵闹无比。

菲碧家门前有一棵大树，上面住了好多只乌鸦，我从来没有留意过它们的吵闹声，但此时它们的叫声显得特别刺耳。

突然，乌鸦的吵闹声越来越大，震耳欲聋。原来它们发现了我，朝我俯冲下来，一大群黑乌鸦，就像乌云似的，让我喘不过气。

我这个木头娃娃根本无法动弹，只得鼓足勇气直面它们。

这时，一只乌鸦用它的尖嘴朝我的脸啄了过来，我简直吓坏了，哦，我马上就要大祸临头了。我使出全身的力气，把脸埋在草丛中，尽量不去看它们。它们啄了我几下

后，可能觉得我并不是食物，所以就放弃了要吃我的念头，之后还恼怒地冲我嘎嘎地叫了几声。现在这些乌鸦们可以飞走了吧？可事实不如我愿，我的身体突然离开了地面，我想抓住身边的树根却是徒劳，只能眼睁睁地看着那片野草莓地离我越来越远，离树梢反而越来越近。

哦，天啊，我飞上了天空。看来我离死期也不远了，稍有不慎就会跌得粉身碎骨。正当我暗自祈祷的时候，我发现我的脚下不再空荡荡的，而是躺在了一个乱糟糟的鸟巢里，我环顾四周，原来这个鸟巢就搭建在一棵高高的松树顶上，周围还有三只小乌鸦正瞪着它们圆溜溜的黑眼珠盯着我看，它们是那只大乌鸦的孩子们。

每天它们都张大嘴等着妈妈来喂食，喉咙里还时不时地发出呜啦呜啦的响声。那只乌鸦妈妈可怜极了，这边还没喂好，那边就开始拼命地叫了起来，于是乌鸦妈妈每天在外面奔波找食物，回来家后还要疲于喂养这些小乌鸦。我真的非常同情它。

这个鸟巢虽然很大，不过对里面的三只每天都在长大的小乌鸦而言，还是非常拥挤。它们每天挤来挤去，对我又戳又撞，将我挤到角落，甚至让我无立锥之地，等乌鸦妈妈回来的时候，那更是噩梦，有好几次我差点都窒息了。我简直不知道那些天是怎么熬过来的。

等到慢慢适应这种状况之后，我开始在鸟巢里往外看，这才发现，原来我待的这棵松树就在菲碧家门前。我看见了她们家的烟囱里升起了阵阵炊烟，我还看到了那匹曾经拉着我们去教堂的马儿。哦，原来我离菲碧并不遥远，这让我心里又燃起了一丝希望。

虽然菲碧近在咫尺，我能听到她讲话，能看到她在房间里蹦来蹦去，可我无法活动，我到底怎样才能引起她们的注意呢？唉，这简直太折磨人了。

鸟巢里，三只小乌鸦还在争吃食，它们当然不了解我的痛苦。这时，一阵强烈的孤独感袭来，我感觉自己被整个世界抛弃了。布尔太太家的烟囱里又升起了袅袅炊烟，我知道，布尔太太正在厨房准备晚饭，不用过太久，他们全家人就会围在圆桌上吃饭了，可是，其乐融融的饭桌上，只有我不在。如果菲碧知道我在这里，她会怎么做？她会来救我吗？我想她一定会的，她对我那么好，我们几乎形影不离。哦，那些美好的记忆，此刻想起来却让我心里酸酸的。

小乌鸦们此时还在挤来挤去，我不得不将胳膊伸出鸟巢给它们腾出宝贵的空间来。我再也受不了了，宁愿粉身碎骨也不愿待在这里备受折磨。看来，是时候离开这里了。

夜幕降临，天空中的星星一闪一闪地眨着眼睛，乌鸦妈妈也快回来了，我得趁它回来之前采取下一步的行动。于是我使出全部的力气慢慢朝鸟巢边缘挪去，可当我伸出脑袋往下看时，不禁一阵头晕目眩，要从这么高的地方跳下去，的确需要很大的勇气。

凯蒂，难道你想一辈子待在这里被这几只臭乌鸦挤来挤去吗？ 不，不想！我一遍一遍地问自己，一遍一遍地给自己打气。

正在犹豫之际，我听到了乌鸦妈妈的嘎嘎声，不好，它要回来了。眼看就没有机会了，这时小乌鸦们因为听到妈妈的叫声激动起来，它们在鸟巢中拼命挣扎着，一个不留神将我挤出了鸟巢，我就这样跌落了下去。

本以为自己会摔得粉身碎骨，我已经抱了必死的决心，可没想到我没有掉到地上，而是穿过尖尖的松针和锋利的树枝，卡在了一根枝丫上。我就这样悬在半空中，动弹不得。

不过这样总比待在鸟巢中好，我安慰自己道。于是我调整好心态，等待好运降临。

每天，我都能看到菲碧在松树下面走来走去，我还能清清楚楚听到她和安迪之间的对话。

“安迪，我猜凯蒂肯定被那些印第安人拿走了！”菲碧难过地对安迪说。

“菲碧，要不有时间我再陪你去那片野草莓地找一找？”安迪说。

“我害怕再碰到印第安人！”菲碧说。

菲碧，菲碧，我在这里啊。得知菲碧心里还是放不下我后，我兴奋不已，同时也极度伤心。我亲爱的菲碧就在树下，可我们却无法团聚。

我也不知道时间过去了多久，我只知道那几只乌鸦长大了，它们每天在松树间飞来飞去，发出聒噪的叫声。我知道它们的叫声让布尔太太很心烦，安迪则整天拿着弹弓来打乌鸦，可惜他一只都没有打中过。

终于有一天，当他站在松树下，拿着弹弓对着那些乌鸦瞄准时，他突然愣住了，我猜测我身上的黄裙子引起了他的注意，他看了一会儿，认出了那就是我。

“菲碧，快来！”他拼命喊叫道，“来看看这是什么！”

菲碧也迅速地跑了过来。“那是凯蒂，那是我的凯蒂！”她那兴奋的声音我到现在都记得清清楚楚。

菲碧的叫喊声也把布尔太太吸引了过来。“凯蒂待在那么高的地方，我们该怎么把她弄下来呢？”布尔太太说道。

“妈妈，我们把这棵树砍倒吧！”菲碧恳求布尔太太。

“那可不行，这棵树很老了，很有价值！”布尔太太不同意。

这时，布尔先生拿来了一根棍子，他和安迪弄了很久也没把我弄下来，因为我卡得太牢了。最后，布尔太太灵机一动，从厨房里拿出了一个大叉子，将叉子绑在了棍子上，布尔先生又试了几次，终于把我从树枝中解救出来了。

“肯定是那些该死的乌鸦把她从野草莓地那里带过来的！”安迪对菲碧说道。

菲碧没理他，她看到我太开心了，也不在乎我破破烂烂的衣服和脏兮兮的脸蛋，直接把我抱在了怀里。哦，我真希望能一辈子躺在菲碧的怀里！

第三章

踏上新旅程！

在鸟巢里折腾了那么多天，再加上卡在树枝中风吹日晒，我的衣服已经破旧不堪了。正在我担心羞于见人时，善良的布尔太太对菲碧承诺她会再帮我做几身漂亮的衣服。更幸运的是，布尔先生还答应等闲下来就给我做一个小摇篮。我要拥有属于自己的小窝了，想想就高兴。

不过可惜的是，布尔先生太忙了，因为作为船长，他要为下一次航行做准备。为了获取更多利润，他已经买下了一艘船的大部分股份。这一次他们准备出海抓捕鲸鱼。

好在菲碧不那么忙，我们还是每天一起玩耍。九月来了，天气渐渐有些凉意，可家附近的蟋蟀却叫得更响亮了，它们没日没夜地叫着，仿佛嗓子永远也不会哑。

“这些蟋蟀叫得可真够让人烦的！”一天，菲碧抱着我，坐在门口对安迪说道。

“它们可能太冷了，叫一叫还能驱寒呢！”安迪看着远处正在升起的一轮圆月轻声地说道。

“你觉得这样做有用吗？”菲碧认真地问安迪。

“当然没用！可它们是蟋蟀，它们不懂。你看着吧，等天气越来越冷，它们叫的声音反而会越来越大，直到有一天被冰雪冻死。”安迪斩钉截铁地说着，仿佛他已经对蟋蟀的特性了然于胸了。

“可怜的蟋蟀们，还好咱们不是蟋蟀！”菲碧边说边抱紧了我。

是啊，还好我也不是蟋蟀，我真为自己是个木头娃娃感到庆幸。

我们过着悠闲日子的时候，布尔先生却每天忙得不见踪影，布尔太太说他每天都驾车去打听他买的那艘大船的情况。他们给那艘船取了个好听的名字“戴安娜”，不过据说那艘船还没有弄好装备，所以布尔先生每天都唉声叹气。

“别着急，应该快了！”布尔太太温柔地安慰布尔先生。

“唉，那个鲁本，虽然他很擅长捕鲸，但他却不怎么会检修船只，照这个速度下去，我们恐怕不能赶在十一月之前出海了。”布尔先生分析道。

“那你再想想办法！”布尔太太说。

“除非我亲自去一趟波士顿，自己去查看情况。好吧，就这么说定了，我决定坐马车赶往波士顿，去查看‘戴安娜’的情况！”布尔先生认真地说。

“亲爱的，还是算了吧。你的第十二双袜子我还没织完，先别急着走。我可不想你穿着湿漉漉的袜子在水里趟来趟去。”

为了照顾妻子的情绪，布尔先生笑着说道：“亲爱的，那你和我一起去一趟波士顿吧，你可以在路上将袜子织完。之后，我们还可以在波士顿顺便买几件漂亮的羊毛袄子。好不好？”

“还没赚钱呢，就开始大手大脚地花钱，不能乱花钱，知道吗？”布尔太太严肃地说。

“好啦，不买不买。不过你陪我去一趟波士顿吧，好不好？”布尔先生哀求道。

在布尔先生的苦苦哀求下，布尔太太终于同意陪他去一趟波士顿。于是在一个凉爽的秋日清晨，布尔先生一家就收拾妥当前往波士顿了。

那天天气非常好，我们坐上了马车，马匹脖子上的铃铛发出了叮叮当当的响声，远处的枫叶林一片通红，金黄色的榆树和云杉美不胜收，一路上遍地的秋麒麟草和小紫菊生长旺盛，那景色真是让人陶醉。渐渐地，我们离布尔家越来越远，那幢小白房子很快就看不见了。

“亲爱的，你看，那是什么？”突然，布尔先生用鞭子指了指前面。

“哦，那不是一棵花楸木吗？”布尔太太高兴地说。

“哪儿？”菲碧好奇地问。

“你看，那丛灌木的附近有一棵瘦瘦高高的树，上面结满了红色的果子，看到没？”布尔太太指着那棵树对菲碧解释道。

“哇，我看到了。那就是凯蒂的树！”菲碧兴奋地喊叫道，“那是一棵幸运树！货郎爷爷说过，我的凯蒂就是由花楸木雕成的，花楸木代表吉祥！”菲碧一高兴话就特别多。

“是的孩子，看来这是个好兆头啊！”布尔先生也高兴地说，“驾！快走喽！我们要赶快赶上驿马车。”

不一会儿，我们就到了镇上，布尔先生将马匹和马车停在那里，之后还去甜品店买了一些甜甜圈、姜饼和几瓶苹果酒。

你们肯定不知道驿马车是什么，其实就是由四匹马拉着的一辆大马车。我还记得我们乘坐的那辆车涂上了黄色和红色的油漆，非常显眼，那四匹马两两一组，跑得飞快。

刚刚坐上驿马车的时候，菲碧非常兴奋，因为这是她第一次坐驿马车，她看什么都很新鲜。但是这么快乐的时光并没有持续太久，没过多久我就发现菲碧有点不对劲了。她脸色苍白，好像浑身无力，而且都没兴致和我一起玩耍了。

“妈妈，我不太舒服！”菲碧小声说道。

“这孩子可能晕车了！”旁边一个和善的老太太说道。

马车上的乘客们听说菲碧不舒服，特别热情地拿出了很多治疗晕车的偏方，比如胡椒薄荷糖、云杉啤酒、柠檬汁，等等。不过这些对菲碧都不起作用，她仍旧不舒服，只想闭着眼躺在那里，一点都不愿意动。

布尔太太摸了摸她的头，说道：“这孩子刚才吃了太多姜饼，喝了很多苹果酒，我估计她有点消化不良。可怜的孩子，她可能遗传了我的坏毛病，我们家的人都有这毛病。”布尔太太就那样让她安静地躺着。

到了晚上，我们到达了一个小镇，找了个舒适的旅馆休息了一夜，第二天天不亮就又出发了。

第二天，菲碧好多了，她不再抱怨或者只是躺着，而是能和我一起玩耍了。布尔太太则边织着袜子，边和旁边新来的旅客聊天。马车外面风景优美。我们还路过了一个漂亮的港口，那里停满了船只，还有一些我从没见过的大房子。

“哦，这儿的房子可真大！”布尔太太看了也不禁感叹道，“你们看那些门，雕刻得可真是精美，还有那些家具，真是好看极了！”

“这儿是这一片最有钱的地方了。他们和全世界做生意，你要是去了码头就能看到他们从印度、中国，还有不知道是哪里运来的货物。不过亲爱的，如果我这一趟运气不错能捕捉到一头抹香鲸，并装上六七百桶鲸油回来的话，咱们也可以在这里定居了！”布尔先生兴致勃勃地说道。

“不，我还是喜欢咱们自己的家，我哪儿都不去！不过这也不妨碍我欣赏别人家好看的门，是吧？”

“你说得对，亲爱的！”布尔先生表示赞同。

在这么美妙的景色中穿行，我们丝毫感觉不到辛苦，不知不觉就在傍晚前到达了“戴安娜”停靠的码头附近，布尔先生把大家安置在一个老奶奶开的家庭旅馆里。布尔先生和这个老奶奶非常熟悉，他从小就认识老奶奶，老奶奶热情地接待了我们。

把大家安顿好之后，布尔先生立刻带上安迪去看他的“戴安娜”。

他们出去了好几个小时，布尔先生回来后很焦虑。他对布尔太太说他应该早点过来，因为他手下那些最优秀的船员不是生病就是已经跳槽去了别的船上，导致船上的装备到现在都才弄到一半。如果要赶在秋季暴风雨来临之前出发，现在就得加快脚步了。

“别着急，慢慢来，总会按时出发的！”布尔太太看布尔先生如此着急，她安慰道。

“唉，现在还有一件最棘手的事，今年的厨师非常紧俏，到现在我都没找到厨师！”

看样子这件事真的难倒了布尔先生。

“没厨师，我们那些船员吃什么呢？”

布尔太太不停地安慰他，后来在她的催促中，布尔先生才准备睡觉，他在床上唉声叹气，辗转反侧了一会儿才睡着。

之后的几天布尔先生几乎都没着家，他太忙了。

有一天晚上，布尔先生一脸严肃，他说有重要的事要找布尔太太商量。

说完他还拿出了一堆图纸摊在饭桌上，在上面指指画画。布尔太太聚精会神地听着，甚至不再织袜子了。他们讲话的声音很小，我都没听清他们在讲什么。只是他们谈完之后沉默了很久，我才听见布尔太太说：“亲爱的，让我好好想想吧。我从没出过海，更没有在一艘脏兮兮的船上给一帮饿汉做过饭……”

“没你想象的那么糟糕，我们这段时间会将船做一次彻底的大扫除，我们会把船打扫得像咱们家一样干净。而且你上船了，我还会派个人给你打下手！”

“咱们家的厨房多好！再说了，我们也不能把奶牛和马匹一直寄养在邻居家啊！”布尔太太焦虑地说。

“别担心这些，我会安排好的！”布尔先生安慰道。

布尔太太感觉布尔先生已经下定了决心，于是她叹了口气，提出了最后一个要求：“非要让我去做饭也可以，不过你得把那艘船的名字改得更像基督徒的名字。”

“我对船员们说过这件事，不过他们觉得改名字不吉利！”布尔先生解释道，“你也知道现在船员们也不太好找，所以在这些小事上我得顺着他们！”

“那可不行！”布尔太太非常坚决，“如果你不改名字，还是坚持用这个名字，那我肯定不会踏上那条船！”

“那好吧，我再去想想办法！”说完布尔先生就出去了。

第二天，布尔先生吃完早饭就宣布：“过几天你们和我一起上船！”听到这个消息，菲碧非常高兴，她对我说：“太好了，凯蒂，咱们要乘大船出海啦！”

布尔先生没说太多就忙着出门进行最后的采购了，他得准备好船上几个月的生活物资。

他还给安迪买了一套帅气的水手服，安迪穿上那套衣服简直神气极了，仿佛一下子就长大了。他觉得自己身上肩负了很大的责任，还忙着跑前跑后帮船员们搬箱子。

“安迪，我们也要上船了！”菲碧得知消息后第一时间告诉了安迪。

“啊！”安迪的反应出乎意料，他好像并不太高兴，“我听船员们说，船上不是女人们该去的地方，而且他们也不欢迎吃白食的人。”

“哼，我才不管他们怎么说呢。反正爸爸让我们去，他是船长！”菲碧撇着嘴坚定地说道。

吃完晚饭后，布尔先生带着全家来到码头上。“你们看，那个亮着灯的船就是了！”布尔先生指着不远处的那艘船说道。

“真的好大！”菲碧惊叹道。

“对，就是她了！”等走近后，布尔先生骄傲地说，“菲碧，你一定会喜欢的！”

还没等布尔先生讲完，菲碧就冲上了船。“慢点，别掉下去了！”布尔太太在后面叮嘱道。

这时，布尔太太看到一个男人正吊在半空中，边吹着口哨边来回地推拉一把大刷子。

“他是吉姆，”布尔先生解释说，“他正在执行你的指令！”

布尔太太不明白什么意思，布尔先生继续说道：“我们已经决定了，按照你的吩咐，这艘船的名字就叫戴安娜·凯特号！希望你能和她相处愉快，要知道上船后我们会在上面待十一个月左右！”

“好的，亲爱的，谢谢你！”布尔太太知道名字如她所愿改了之后非常高兴，“你放心，我一定会照顾好那些船员的！”

我们即将启程啦！

第四章
海上的日子

“菲碧，从现在开始咱们就在这艘船上住下来了！”布尔先生说道，“今天晚上就先在这张沙发上睡一晚，明天我会给你找一张适合你的小床。”说完，布尔先生就匆匆离开了，因为他得赶紧准备起锚了。

“注意啦，我打算四点起锚！”布尔先生冲着船员们说道，“大家都准备好了！”

那天晚上，我和菲碧就睡在那张舒适的马鬃沙发上，沙发非常柔软，虽然整个晚上船上都发出了哐当哐当的响声，甲板上还不时地有拖铁链的哗哗声和船员们走来走去的咚咚声，但菲碧还是睡得很熟。

第二天一大早，戴安娜·凯特号正在顺风行驶，菲碧带着我爬到了上面的甲板上，我们看到风帆被风吹得鼓鼓的，整条船在起伏的蓝色海浪中上下颠簸，这种情景真是让第一次见到大海的我们特别兴奋。突然甲板猛烈地晃动了一下，菲碧没站稳差点摔倒。“你小心一点，这点颠簸就要倒，到了哈特勒斯角你可怎么办？”安迪提醒菲碧。

“小伙子，看来你对哈特勒斯角很熟悉嘛。”不远处一个船员对安迪说道，他穿着一身洗得泛白的蓝色裤子和衬衣，块头特别大，“快去厨房干活吧，别在这儿磨蹭！”

安迪听到他的话匆匆离开了，大块头来到菲碧身边，把她带到了木工台。

“咱们得给你量尺寸，之后才能给你做一张新床！”

“比尔，咱们船上来了几位女士，以后说话可得注意礼貌了！”旁边正在打着绳结的船员笑着对大块头船员说道。

那个叫比尔的大块头笑着说：“利亚，你也有活干！给这位小姐的木头娃娃做个吊床。”

“没问题！”利亚响亮地说道。

我听着船员之间的对话高兴极了，很快我就会有属于自己的吊床！这些船员乐观又友善，海上的阳光照得人很舒服，望着这一望无际的碧浪，我感到无比喜悦。

船上的人对我们很友善，大部分的船员对我们非常热情，只有一两个人偶尔还是会说船上有女人不吉利的话。布尔太太已经习惯了她那狭小的厨房，而且她还做了一大堆蜜糖饼干，足够所有的人吃个饱。在那个年代，无论是在哪条船上，这都是不可多得的待遇。她现在只是时不时会抱怨菲碧，觉得她上蹿下跳像只猴子。

“唉，等到回家了，你肯定会像个野孩子一样！根本没个女孩的样子！”

菲碧和利亚关系很好，因为利亚很擅长用一些零碎的绳子、木头等做些小东西，他给我做了一个舒适的吊床，还有一个木头篮子，他的手艺非常好。有时候，船员们会爬上瞭望台寻找鲸鱼，当然菲碧也非常想爬上去，只是布尔先生不允许。

第一个月的航行非常顺利，天气温和舒适，船员们还时不时会到厨房帮助布尔太太打下手。布尔太太说除了没有一头奶牛来挤奶、没有上好的水池、没有邻居来串门以外，在船上的生活还是要比世界上许多地方要好得多。不过每到星期天，她就会叹气，因为她十分想去教堂做礼拜，现在她已经离教堂很远了，于是这个时候，她都会让安迪和菲碧一起来背诵《十诫》和《诗篇》。

菲碧交了几个好朋友，其中利亚的好兄弟比尔也和我们关系很好。他身上有各种好看的文身，虽然船上几乎所有的船员都有文身，可比尔的文身是最精美的。他的一只胳膊上有绿色的美人鱼和海蛇，另一只胳膊上则是蓝色的船和鲸鱼，整个胸口还被一艘巨大的帆船占满。这些文身让安迪非常羡慕，他也想拥有类似的文身，可一听说这些文身花了很多钱后就泄气了。

“没关系，等有机会我帮你在胸口上文上你名字的首字母。”比尔安慰安迪说。

“那你帮我的凯蒂也文一个吧！”菲碧请求道。

“哈哈，那可不行，我可不帮女生文身！”比尔哈哈大笑起来，他淡蓝色的眼睛顿时眯成了一条缝。

我们另一个好朋友名叫杰瑞米，他有点驼背，据他自己说，他年轻的时候从桅杆上掉下来，因此摔成了驼背。虽然他的身材很特别，但是布尔先生说杰瑞米是一名难得的好船员，他眼尖手准，是远近闻名的投叉手之一。据说，鲸鱼在大约 15 000 米外喷水，他都能看到。

“这一切都太顺利了！”一天晚上，我听到布尔先生对布尔太太说，“每天都面对同样的蓝天白云，这反而让我的心里很不安。”

不过没过多久，我们就到了可怕的合恩角，就在那里我们遇到了航海以来的首次坏天气，一场狂风持续了整整两天两夜，整个船被海浪撞得东倒西歪。“亲爱的，你带着菲碧到下面的船舱里待着，千万别到上面去。我现在要去检查一下是不是所有的东西都绑好了。”

“好的，你再多穿一双袜子。”说完，布尔太太还将布尔先生的围巾往上拉了拉，看得出来她很担心布尔先生。

“爸爸要去干什么?”菲碧好奇地问。

“他上去检查一下，另外他还要把船帆都收起来，这么糟的天气再鼓起船帆后果不堪设想。”布尔太太解释道。

“那我也上去看看吧。”旁边的安迪说道。

“坐下！你可不能去！”布尔太太生气地说，“只有成年的船员才能在甲板上站得住，你一上去就会被风浪卷进大海里。你留在这里帮我烧火，我要给他们煮点热汤！”

“你，菲碧，上床睡觉！”布尔太太继续说。

“可还没有到睡觉的时间……”菲碧小声反驳。

还没等菲碧说完，布尔太太已经拉着她到了床上，并且还用一条旧法兰绒毯子将我们牢牢地绑在了床上。

“妈妈，你好像在对待犯人！”菲碧极不乐意地说。

“没办法，菲碧，现在风浪太大了，我可不能让你掉下来摔断了骨头！”说完她就离开去厨房了。

房间里就剩下我们俩，此时菲碧根本睡不着，她瞪着大大的眼睛，听着外面的吵闹声，船员们在甲板上跑来跑去，房间里的灯猛烈地晃个不停。菲碧害怕极了，她搂着我哭了起来："哦，凯蒂，早知道在船上这么可怕，我就不上船了！"

过了紧张又混乱的一晚之后，好不容易天亮了，不过情况并没有一丝好转。甲板下还是昏暗嘈杂，而且只要一打开舱口盖就会有海水涌进来，有时候巨浪还会拍到船上，海水则沿着地板渗下来，不多久，船舱里的水都有10厘米左右深了，布尔太太却还在厨房想凭借一己之力保住灶里的火。

"亲爱的，你最好躺到床上去，你这样太危险了。我本来是想派个人下来帮助你，可现在到处都缺人手，船的前甲板有漏水的情况，我们有四个人在那里舀水！"布尔先生对布尔太太说道。

"哦，怎么一下子这么糟糕！"布尔太太捂着嘴叫道。

"情况的确不好。如果暴风雨不停，我们就没有办法补船上的漏洞。但愿暴风雨能赶紧停下来吧！"布尔先生喝着热茶说道。

那几天的日子非常难熬，我们随着船只上下颠簸，每一次的颠簸我都以为是最后一次，可是下一次的颠簸却更厉害。第二天夜里，风暴更加猛烈，海风发出巨大的吼叫声，它裹挟着海浪不断拍打着我们的船。由于漏水和前舱船舷受到巨大的冲击，船头已经有一部分浸在水里了。船员们忙了一天实在很累，虽然船舱里找不到一块干燥的地方，但他们还是躺在水里打着盹眯了一会儿。突然一阵飓风刮来，整个船只猛烈地晃动了一下，接着就发出了咔咔咔的断裂声，那声音听起来残酷无情，现在想起来都让我不寒而栗。之后所有的船员都紧张起来，甲板上传来了急促的脚步声，布尔先生正在喊叫着发号施令："小伙子们，快点砍断中帆和上面的桅杆，快砍！"

正在船舱休息的三个船员突然跳起身来，迅速地冲上升降口的楼梯，可能是去执行布尔先生的指令了。布尔太太脸色苍白，她一把搂住了菲碧。

"妈妈，我们的船是不是要沉了？"菲碧害怕得哭了起来。

"不会，你爸爸会搞定这一切的。"布尔太太安慰道，她这句话其实也是在安慰她自己。

"嗯，船肯定不会沉，只要凯蒂还在，要知道她是用花楸木做成的，她会为我们带来好运！"菲碧认真地说道。

布尔太太沉默不语，此刻她的心里一定很慌乱。

过了一会儿，甲板上终于平静了一会儿，船员们也回到船舱来休息了。不久布尔先生也来了，他浑身湿透了，他给布尔太太报了平安后，没等布尔太太给他拿一件干衬衫换上就转身离开了。

正在布尔太太焦虑时，安迪过来了，他将他所知道的事都告诉了布尔太太和菲碧。

“飓风来的时候，大家都以为完蛋了。比尔甚至觉得我们马上就要喂鱼了。不过杰瑞米和利亚眼疾手快，他们飞快地将桅杆和帆什么的都砍断了。但是那个大副帕奇却不让砍，他简直都快气疯了，他一个劲地指责布尔先生，怪他将你们带上船，他说是你们带来了灾难……”

“有多少人支持他这种说法？”布尔太太问道。

“反正比尔说他不信，不过比尔也说船上还是有一些人信帕奇的这一套，不过他也没说是谁。”安迪解释说。

那位帕奇头发枯黄，有点驼背，他对我们态度不好，总是爱答不理的，我一直都不太喜欢他，知道了这些后，我更加相信他不安好心了。

经过了好几天的暴风雨袭击后，终于雨过天晴了，大海比任何时候都更加湛蓝。我也再次听到了布尔先生那雷鸣般的笑声，菲碧又带着我到甲板上乱跑乱跳，日子又和从前一样快乐了。

第五章
捕捉鲸鱼

“小伙子们，大家加把劲，我们抓紧把漏水的部分修补好，之后将中桅和中帆都装好后早日抵达南部海域！”一大早我就听到布尔先生在甲板上大声地吩咐道。

快要抵达南部海域了，船员们一致认为那里就是捕鲸的最佳地区。为了早日能捕捉到鲸鱼，他们干活更卖力了。

正当船员们修补船只时，布尔太太决定找人给菲碧剪剪头发，现在天气太热了，菲碧顶着一头长发很热。于是利亚拿来剪刀给菲碧剃了一个利索的短发，等他剪完后，布尔太太叹了口气说：“这下真成了个小子！”

“她现在还差一条马裤，她的裤子不是太厚就是太长，我现在就让吉姆来给她做一条把。”布尔先生笑着说道。

于是，不顾布尔太太的反对，马裤很快就做好了。当菲碧穿上马裤的那一刻，我真的担心她从此以后不再和我玩了，好在她还和以前一样与我形影不离。

船员们目前的主要任务就是找鲸鱼，每次只要听到从高高的瞭望台上传来“有鲸鱼喷水”的喊叫声，船上就会忙成一片。与此同时，所有的小艇都准备好，等布尔先生下达下艇的命令后，他们就会立刻放下小艇前去捕捉鲸鱼。大海里的鲸鱼时隐时现，它们时而出现在这里，时而又在另一个完全不同的地方闪现。为了捕捉到它们，船员们费尽了心力。当然杰瑞米是投叉手，他是最辛苦的，因为一旦鲸鱼那大家伙出现时，杰瑞米就会往鲸鱼身上投铁叉，如果鲸鱼一旦发怒，会摇头摆尾直接掀翻小艇，这样杰瑞米就有落海的危险。

这一次，船员们发现了一头巨大的抹香鲸，为了得到各自的那一份鲸油，船员们个个虎视眈眈，都盯着那头鲸鱼，他们势在必得。很快，他们就从船上放下了三艘小艇，之后迅速朝鲸鱼划去，很快就远离了戴安娜·凯特号。

“加油，小伙子们！”布尔先生冲着他们的背影大声喊道。

渐渐地，他们的小艇靠近了那个大家伙，它在水里神出鬼没，时不时地还会向天空喷出水柱。鲸鱼在与船员的搏斗中转了一个圈，转到了我们这边，这样我们能更清楚地看到捕捉的整个过程。我们在船上观看着，也为那些船员们捏了一把冷汗。

“你看，它又在喷水了！”安迪抓住菲碧的胳膊兴奋地叫道，“那个穿红白衬衣的就是杰瑞米，他冲在最前面！”

菲碧一边抓住我，一边将手放在眼睛上方，大喊道：“在哪儿？”

“就在那儿，船头上，快看，他就要投叉了！”说完，安迪用手指了指。

“我看到了，他叉到鲸鱼了吗？”菲碧激动地喊叫道。

没人理她，因为小艇上的船员们似乎都静止了，那头抹香鲸在慌乱地摇摆着，溅起了大大的浪花，过了一会儿它就沉入了海底。

“叉中了，杰瑞米叉中了！”安迪兴奋地叫喊道，“现在他们要放出绳索跟着鲸鱼，直到逮住它！”

“鲸鱼在哪儿呢？”菲碧疑惑地说。

“过一会儿就会上来！它肯定跑不远！”安迪斩钉截铁地说。

没过多久，那个大家伙又出现了，它不停地喷水扭动，在周围搅起一圈圈的旋涡。过了很久后，海面上浮现了鲜红的血液，大船上的船员们发出了一阵欢呼声："它不行啦！"没过多久，鲸鱼也平静下来，海面也恢复安宁，鲸鱼庞大的身躯慢慢浮出了水面，小艇上的人们也发出了欢呼声。

"太好了，我们逮住它了！"布尔先生满意地对妻子说道，"亲爱的，能给我们准备点特别的东西来庆祝一下吗？"

布尔太太也高兴地笑道，"当然可以，我这就去准备！"

第二天，船员们准备了一个升降台，用绳子和各样的链子把鲸鱼吊了起来。接着，他们就用锋利的刀具将脂肪从鲸鱼身上一片一片地削下来，就好像在削苹果一样。

他们分工合作，有的人负责将鲸鱼吊起来，有的人负责切割鲸鱼，有的人则负责炼鲸油，秩序井然。

只是可惜鲸鱼毕竟不是苹果，在他们等待用鲸鱼炼油的时候，鲸鱼的血水已经在甲板上流得到处都是。

"这味道可真难闻！"布尔太太捏着鼻子，皱着眉头说道，"我从来没闻过这么重的味儿！"

"哈哈，我们要走运了！"船员们高兴地笑着说。

"大家加油，抓紧时间把这头鲸鱼搞定，然后去捕捉下一头！"布尔先生对船员们说道。

为了能早点炼完鲸油，船员们没日没夜地干活。白天，炼油锅里冒出了浓浓的黑烟，船员们在锅边不停地炼着油；等到了晚上，船员们也不停下来，他们轮流着干活，炼油锅旁一刻也没缺过人。不仅如此，就连安迪也被叫去做切肉和搬运的工作。能做这份工作，他骄傲极了，他像其他的船员一样，脱下上衣、卷起裤脚开始干活。不过布尔先生不允许菲碧和我靠近炼油锅，他怕我们被烫伤。于是菲碧只能带着我站在远离炼油锅的地方看着。

将这头鲸鱼炼完后，他们又开始马不停蹄地去捕捉下一头鲸鱼。

如果运气好，发现了一群鲸鱼，他们也会连着捕杀好几头，来不及炼油的话，他们会将那些鲸鱼拖在船后面，在铁叉上绑上我们船的旗号，向别的船只宣告那是我们的财产。此时，有几艘别的船只也在这片海域捕鲸，有些船员们很想去别的船只上拜访拜访，可是布尔先生坚持要让大家先把船上的鲸鱼切完后再考虑拜访的事。

有些船员开始抱怨，在背后嘀咕，而那位大副帕奇不仅不和布尔先生统一战线，还和那些船员们一起指责布尔先生，他的这一行为还赢得了好些船员的支持。正当鲸鱼切到三分之一时，大家原本准备去拜访的那艘船只毫无征兆地离开了。

为此，大副和布尔先生起了争执。大副帕奇认为船员们有权利请假去别的船只上拜访，而布尔先生则认为现在停下手中的活去拜访，不仅浪费时间，而且还会损失不少油脂，到最后让大家分到的油脂都变少了。

此时船员们也分成了两派，有的支持帕奇，有的支持布尔先生。到最后这场争执就这样不了了之，弄得大家心里都不愉快。

晚上回到船舱中，我听见了布尔先生和妻子的对话。

“下一次出海我绝不带帕奇，虽然他的经验丰富，我给他的份额比谁都多，但他最近的表现真是让人心烦！”布尔先生生气地说。

“我当初一见到这个人，就觉得他不对劲，不过人是你挑的，毕竟你是船长。”布尔太太小声地说道。

“他的确经验丰富，对捕鲸的事了如指掌，算了，不说了，我现在只想捕到最后一头鲸鱼，把我们的油桶装满就赶紧回家。”

“但愿吧，我这心里总是有些不安。”布尔太太叹了口气说道。

虽然布尔先生对帕奇一肚子意见，可在甲板上他还是该怎样就怎样，周围的人也没看出丝毫的异样。布尔太太在厨房里也是尽心尽力，她不仅为船员们烹制他们打捞上来的新鲜鱼虾，还为他们准备可口的甜点，这些都让船员们非常满意。

后来，我们捕捉到了最后一头、也是最大的一头抹香鲸，但是因为两艘小艇上的人没收到布尔先生下达的命令，这中间就出了点小岔子。

等他们捕捉完鲸鱼，上了戴安娜·凯特号后，就开始争论到底是谁投中的第一叉，要知道投中第一叉的人会比别人多分到一份鲸油。出现了争论，就有人开始拉帮结派，忙着吵架却无心干活。

布尔先生听说后，为了平息这场争论，他宣布两边的船员都得不到额外的那一份，这让那些船员们更加不满，也使这条船只危机四伏，最终酿成了大祸。

第六章

大船着火了

这一天和往常一样，菲碧和我躺在舒适的床上很早就入睡了，但在午夜时分，我们被甲板上传来的尖叫声和跑步的咚咚声吵醒。“所有的人到甲板上来！”我们听到了一声大喊。

“妈妈，怎么啦？我也要上去看看！”菲碧被吵醒后好奇地问道。

“不行，你去了只能给他们增添麻烦。爸爸一忙完就会下来找我们的。”布尔太太说道。

说完，布尔太太和菲碧就坐在漆黑的船舱中等待着，没过多久，布尔先生就来到了船舱，他眼睛红红的，不停地流着泪。

“亲爱的，出了什么事？”布尔太太赶紧上去抓着布尔先生的胳膊问道。

“船着火了！”布尔先生抽泣着说道，“天知道这是怎么回事，八成是从下面的鲸油舱里烧起来的。估计火势马上就要蔓延了，我们现在正在尽力抢救。”

“然后呢？”布尔太太也着急地问道。

“现在船舱的中部和前部都已经烧着了。我们已经拿湿帆布盖到了火上，但愿能让火熄灭，不过按照现在的情况很难说……”

“哦，天呀，船上还装满了鲸油！”布尔太太此时双眼含泪，“还有救吗？”

“不到最后一刻我们绝不放弃！”布尔先生看着他的妻子说道，“不过最坏的情况下，我们还是要坐救生艇逃生。亲爱的，你别着急，现在这里很安全，在这里等着我的消息。”

“好的，我和菲碧随时准备好，等你发话。”

“你们现在先收拾好东西，把一些必需品都带上……”他没说完就转身走了，布尔先生忙碌了这些天，脸被晒得黝黑，他现在显得无比憔悴和沮丧，但在布尔太太面前，他还是打起了精神，挺起胸膛走向甲板。

“菲碧，快点，咱们收拾收拾东西，做好最坏的打算。”布尔太太吩咐道，说完，她就开始穿上衣服，在箱子和床铺之间走来走去，一遍一遍打着包裹。菲碧也学着妈妈开始收拾自己和我的东西，她把我的衣服和小吊床都放到了一个篮子里。她一边收拾一边问妈妈：“妈妈，你说船会沉吗？小艇能坐下我们这么多人吗？离开大船后我们能去哪儿呢？妈妈，你觉得是不是有人故意纵火……”当然，对于她的这些问题，布尔太太的回答一律是不知道。

正在布尔太太和菲碧收拾的时候，安迪也过来了，看样子他也很难过。“现在火势已经蔓延开了，盖在火上的湿帆布下都是浓烟，船员们说这船是没救了。还不知道能在这条船上待多久，也不知道能不能把这船开到一个容易获救的地方。还有，大副帕奇总是和布尔先生唱对台戏……”他说。

布尔太太静静地听着安迪说着，一言不发地收拾着行李。“来，安迪，拿着这个包裹。”布尔太太递给安迪一个包裹，“菲碧，你带上自己的行李，咱们去甲板上。我可不想困在这里！”

我们到了甲板上，发现帕奇正和布尔先生在争执着什么，周围的船员就这样看着。我躺在菲碧的篮子里，看到了天边露出了淡粉色的光芒，海面很平静，没有一丝风，帆张不起来，戴安娜·凯特号根本动弹不得。

帕奇和布尔先生还在争执着，现在弃船已经是早晚的事了，所以问题是要把船开到什么地方才能更容易被救。帕奇说了一个方向，但是布尔先生说了另外一个方向，糟糕的是，几乎所有的船员都站在了帕奇那一边，他们说要在最后的关头来自己主宰自己的命运。不过布尔先生也不是个轻言放弃的人，他坚持认为在船上待的时间越长，获救的可能性就越大，即使要弃船，也要把船开到他发现的那座岛屿上。但是帕奇激动地说他发现的那座岛屿更好，甚至还指责布尔先生的行为等于是要置大家于死地。他这话一出，船员们的脸色更难看了，场面越来越紧张，已经有些船员开始公然拒绝执行船长的命令。

时间在他们争执的过程中一点一点地流逝了，烟雾越来越大，甲板上都开始有些烫脚了。布尔太太也毫无主意，她只得抓住布尔先生的胳膊，无助地看着他。

“各走各路吧！”突然，布尔先生折起了地图，将它放在口袋里，对帕奇说道，“你们这些混蛋放下小艇逃命去吧，我宁愿和我的船沉入海底，我也不愿意再和你们多待一秒。快走吧，越快越好！”

听到这话，帕奇带上船员们匆匆放下小艇准备离开。

甲板上顿时一片慌乱，到处都是准备逃命的船员们。

最后只有杰瑞米、比尔、鲁本留在了布尔先生身边，他们对布尔先生说："船长，我们和你们在一起，只要大梁不断，我们就不下船。"

五艘小艇下海了，船员们乘坐小艇离开了，我忘不了这次分别，更忘不了船员们冷漠的表情，他们中有些人和我们关系不错，但他们离开时连头都没回。布尔太太双眼含泪，嘴唇颤抖着，伤心极了。没过多久，小艇就消失在我们的视线里。

"伙计们，别担心，我们会挺过去的！"布尔先生安慰大家道，"现在，菲碧和妈妈先到船尾搭建一个简易帐篷，用来躲避浓烟和热浪。咱们几个就在驾驶室里，将船开往我说的那个岛屿。"实际上，这是很难的，要让一艘着火的船漂在水面上不下沉，而且还要朝着预定的航线行驶，真是不容易。布尔先生和船员们费尽心力，到最后也不得不放弃。

"亲爱的，你和菲碧准备好，咱们要离开戴安娜·凯特号了。"布尔先生沮丧地说，"船尾还有几艘小艇，比尔，你到船舱里看看，咱们还有多少吃的和水。"

他们放下小艇，请布尔太太先上去，布尔太太吓得双腿发抖："不行，我不敢。"

"夫人，你抓着我。"杰瑞米翻到小艇上，对布尔太太说，“你只要翻下来就好了，没关系的，我会抓紧你。”

布尔先生此时也过来了，他说：“亲爱的，别害怕。”看到布尔先生也在，布尔太太放心了一些，一步一步翻过了护栏，站到了小艇上。这时，比尔和安迪从舱里拿了几桶食物和水放到了小艇上，布尔先生也收拾好了自己的罗盘、灯、几样工具和航海日记，来到了小艇上。

“比尔，你和鲁本还有安迪，带着剩余的物资坐第二艘小艇，我们来负责照看这些女士们。你们要赶紧跟上我们，不出问题的话，我们会在天黑前到达我说的那个岛屿。”布尔先生在离开时发布了最后的命令。

此时，菲碧将我放在了篮子里，又将篮子放在了一个装咸肉的大桶上，因为她有个东西落下了，她要去拿。

“嘿，干吗？那边危险。”说完，布尔先生一把抱住了菲碧，将她放到了小艇上。

喂，还有我呢！我真想大声叫出来，我一刻都不想和菲碧分离。过了一会儿，我安慰自己，我被放在装咸肉的桶上，待会肯定会随着安迪坐上第二艘小艇，到时候又会和菲碧见面了。现在安迪他们正在往小艇上装物资，我还听到了菲碧的叫声，我觉得她应该是在叫我，但这时大家都太慌乱，没人注意到她。

“抓紧点，快点搬吧，现在火势越来越严重。”布尔先生焦急地指挥道。

快点，快点，快搬我这个桶。我在心里默念道。而就在安迪快要搬到我这个桶时，我突然听到布尔先生说："安迪，快下来，别搬了！否则就来不及了！"于是，安迪急忙往回跑去，一下子就跳上了小艇。此时，火势很大，连旁边的桅杆都被烧着了。

就这样，我眼睁睁看着他们离开了，他们带走了所有，包括我获救的希望。我欲哭无泪，简直不敢相信我会这么苦命。我甚至都看到菲碧用手指了指我的方向，我知道她是在找我。我还能和菲碧重逢吗？可是现在已经容不得我想这些了，船上的烟雾越来越黑，这艘大船就像个大熔炉，温度越来越高，桅杆也已经被烧得通红。我也是块木头，火是我们共同的敌人。此刻我只能期待奇迹降临。

可正当我身上的油漆快烧着的时候，船身突然倾斜了，船体开始朝一边倒了下去，我下面的木头桶也歪倒了，我一下子从篮子里飞了出去，掉进了大海里。太好了，我不会被烧着了，对木头而言，水总比火要好。我获救啦！此时，我欢呼雀跃。

第七章
和菲碧重逢

我在腥咸的海水里漂了很久，到底有多久我也不清楚，因为每天都差不多。白天炙热的太阳烘烤着海面，夜晚则是满天星斗闪闪发亮。偶尔有几条鱼从我身边游过，有的甚至还咬了我几口，只是后来它们发现我是块不合口味的木头，而且又硬又没味道，于是就放弃了。

小鱼我倒是不担心，我最怕遇到那种大块头的抹香鲸，船员们捕鲸的时候我是见识过的，它们的个头非常大，就像一座座小山包，它们张开嘴足以吞进一艘小艇，更别说我这样的小木头娃娃了。

如果真被它们吞进肚里，那我这辈子就算真的完蛋了！不过事实证明，我是白担心了，在冥冥之中，上帝又一次保护了我。

在水里泡了太久，我脑袋都泡得昏沉沉的，已经不记得发生了怎样的事情，反正最后就是与船上的一些物品和木板一起漂到了一座岛屿上，最后停在了一个小水坑里。

这个水坑被色彩鲜艳的珊瑚礁围了起来，里面还有很多水草，其中还藏着一些贝壳类的动物。没有小鱼的骚扰，也不用再担心抹香鲸会一口吞掉我，我安静地躺在这水坑里，享受着这难得的安宁。

“到这边来看看！”

“好的，马上就来。”

这时，我听到了附近有人在说话，而且这声音听起来非常像杰瑞米和安迪，莫非是他们俩？此刻我的心都提到了嗓子眼，要是他们不到这个小水坑这边来怎么办？要是他们到了这边还是没看到我怎么办？

我多想喊叫一声，告诉他们我在这里！幸运的是，安迪他们走到了这个小水坑附近，而且更让我感到幸福的是，他们发现了我！

“嘿，这不是凯蒂吗？”安迪看到我后，迅速把我从水坑中抓起，他高兴地举着我朝回跑去，“菲碧，菲碧，看看这是什么？”他边跑边喊叫。

他的叫声吸引了布尔先生和布尔太太，他们也马上朝安迪这边看过来。

“这可真是个奇迹！”我听到布尔太太激动地叫了起来，要知道她很少这么失态。

菲碧也跑了过来，一把将我搂在怀里，她激动得都快要哭了：“安迪，你在哪里找到她的？”

“就在岸边的一个小水坑里，那儿还有一些漂过来的木头和一些别的物资，杰瑞米正在那儿寻找，看看有什么我们能用得上的。我想菲碧看到凯蒂肯定很高兴，就先回来了。”安迪解释了一大通。

“这个凯蒂比我们所有人都厉害，我们几乎花了一整天的时间，用指南针、航海图外加几副船桨，才找到这座岛屿，可咱们的凯蒂毫不费劲就找到了这儿，真是太棒了！”布尔先生说道。

“爸爸，凯蒂是花楸木做成的，否则她肯定到不了这儿！”菲碧提醒布尔先生说。

“是啊，花楸木带来好运！”布尔先生也表示赞同。

“没想到见到凯蒂这么高兴，好像又有希望了。或许会有人经过这里把我们救走的。”布尔太太高兴地说。

“一定会的，这个木头娃娃肯定能为我们带来好运！”比尔在一旁斩钉截铁地说道。

“妈妈，你看，凯蒂的衣服都褪色了，她看上去又老又旧。”菲碧摸着我的头发，难过地说。

“是啊，可怜的凯蒂，她这段日子肯定不好过！”布尔太太叹了口气说道，“和我们一样！”

的确，你只要看一眼岛上的这些人们，大概就能猜出来这段时间他们过得很辛苦。他们住在岛上两间废弃的茅草屋里，这两间茅草屋显然有些年头了，经过日积月累的风吹日晒，茅草屋上好多叶子都变成了棕色，而且很多都掉到了地上，所以布尔先生他们费尽心力将茅草屋修补好，让它能遮风挡雨。此外他们还加固了地基，让茅草屋能抵御暴风雨的袭击。

这个岛上有很多植物，树上结满了各种各样的果子，所以大家吃得还不错。安迪和菲碧最喜欢这里的椰子，因为吃腻了船上的饼干和咸肉，他们觉得这椰子简直是又香又甜，美味极了。

岛上生活最难解决的就是淡水资源的问题。布尔先生带着安迪他们把整个岛屿都找遍了，都没找到淡水。不过幸好这里会下雨，于是他们找来能接水的容器，将雨水储存起来，这样他们就能保证有水喝。

在岛上住了一段时间后，布尔先生断定离这个岛不远处肯定有土著居民，他认为我们居住的茅草屋就是那些土著居民留下的。“不过最好他们不要再来了！”布尔先生说道。

“那可不是吗？土著居民一般都很可怕。谁知道他们会有什么疯狂的举动。”布尔太太也附和说。

为了能早日被人救走，布尔先生每天都会拿着望远镜瞭望，我们的小艇也随时准备出发，一旦发现远处出现船只，我们会立刻起航。只是可惜，这么久了也没有任何船只在这附近活动。

在夜晚睡不着的时候，布尔先生喜欢看星星，他还会指着星星告诉布尔太太这是什么星，那是什么星，他是船长，当然对这些星星了如指掌。

“唉，这些星星的位置，和我以前知道的正好相反。我们已经离我们的家十万八千里了。好想赶紧回去啊！”看样子布尔太太真的很想家。

而此时的布尔先生则陷入了沉思，可能他有些自责吧，过了一会儿他沮丧地说道：“唉，我的上帝啊，为什么让我失去了这艘船？要知道，我认为戴安娜·凯特号简直就是一艘完美的船。而且我们这一次收获多大，你也看到了，我们捕获了好几头抹香鲸，炼油桶全都装满了。本来这一次顺利的话，大家收益都会很多，只可惜最后全失去了！唉，还让你和菲碧受了牵连……”

这是我第一次听到布尔先生说出这样的话，平时在大家面前他都是信心满满，坚定又温和的，从来不会传递任何负能量，但此时他内心可能有些崩溃了。

“没关系，亲爱的。我们到这一步并不是你的错，而且我也看到了你有多努力。虽然运气不是太好，但至少我们一家人还在一起，这已经是最大的幸运了。哦，如果我们还能回到家，我一定要写一首赞美诗来赞美上帝。”布尔太太耐心地安慰布尔先生。

第二天，布尔先生又开始辛勤地工作了，他每天都在坚持写航海日记。

等到没有墨水和笔了之后，他削尖了棍子，蘸着一种紫黑色的浆果汁，每天凑合着写一两行。日子就这样一天一天过去了。

直到有一天，布尔先生看到有烟从远处的岛屿上升起，大家非常激动，轮流拿着望远镜看着。后来没过几天，大家又发现有人正朝着我们的岛屿驶来，但还不知道来者是谁，只是他们驾驶的小船像是土著居民使用的平底船。

“大家集合！”布尔先生看到此情此景连忙叫道。大家迅速汇聚到一起，开始商量对策。

“那些土著人可能是看见了我们在岛上点的火，或者他们只是想到这岛屿上来钓鱼。比尔，你和土著居民打交道的经验最丰富，你认为这些土著居民会对我们友好吗？”

布尔先生严肃地询问道。

比尔沉默了半天，他看着远处那些正在朝我们驶来的小船，他吐了一口气："这个要分情况，如果他们想用椰子和咱们换花布、刀和珠子，这是一回事；如果他们发现自己的人数远远多过我们，而我们又没有他们想要的东西，这又是另外一种情况。唉，我们还是自求多福，希望他们别吃了我们吧！"

显然，比尔最后一句话非常有杀伤力，布尔太太听到后顿时脸色苍白，她捂住了自己的嘴巴，害怕自己会失声叫出声来。

"我并不是说他们一定会吃掉我们，我的意思是大家得做最坏的打算。"察觉到大家很恐慌后，比尔连忙安慰道。

"这样吧，杰瑞米、鲁本，你们俩到海边，把咱们的小艇藏到山洞里去。"布尔先生开始下命令。

"我也想去海边。"安迪申请道。

"不行，你还太小，必须得留在这里，和我还有比尔一起来保护女士们！"布尔先生厉声说道，接着他又嘱咐菲碧道，"菲碧，我让你做什么，你就得做什么。不许再和我讨价还价，清楚吗？"

"好的，爸爸。"菲碧回答说，"爸爸，那些土著居民会不会像我们之前在集市上看到的那些印第安人一样，浑身画满了图案？”

大家听到她充满童趣的话都笑了起来，顿时缓解了紧张的气氛。

“来，菲碧，带着你的凯蒂进屋去，安迪你也来。”布尔太太说道。

于是，我们进了茅草屋，不过安迪还是坚持留在门口，好随时汇报最新的情况。布尔先生和比尔在不远的地方，他们手上拿着一支从船上带来的穿索针。“唉，可惜我的手枪和子弹全被海水泡了，要不然我们也不会害怕这些土著居民！”布尔先生惋惜地说道。

“海上来了好多船！”安迪对茅草屋里的布尔太太和菲碧说道，“起码有五十只左右。”

这时杰瑞米和鲁本也回来了，他们已经将小艇藏好了。一大群几乎没穿衣服的土著人也涌上了岸，他们有的扛着做工粗劣的长矛，有的握着削尖了的棍棒，看这阵势还挺威猛。

“安迪，现在他们走到哪儿了？”菲碧着急地问道。

“他们走到大树那儿了，布尔先生和比尔迎上去了，还给他们鞠了一躬。那些土著居民正在跟布尔先生和比尔打着手势。你们说比尔到底懂不懂他们的意思啊？”安迪也非常着急。

过了一会儿只听见安迪喊道：“来啦来啦，他们朝我们这边走过来了！”

布尔太太连忙抱紧了菲碧，菲碧也紧紧地搂住了我。

也就五分钟的工夫，他们就走到了茅草屋。这时，布尔先生进来了，他朝我们做了一个手势，示意让我们出去。于是，布尔太太一手牵着菲碧，一手牵着安迪跟着布尔先生出去了。

“别害怕，他们目前还没干什么，就是看看我们。”布尔先生压低声音对布尔太太说道。

一出门，几百双又黑又亮的眼睛正盯着我们，那场面还是非常壮观。他们都戴着耳环、鼻环还有各种用金属制成的手环、脚环。

正当大家都不知如何是好的时候，突然比尔脱掉了自己的上衣，露出了他的文身。于是那些人都盯着他的文身看，并慢慢靠近他，差点把比尔都挤扁了，可见他们对比尔身上的文身很感兴趣。

没过多久，他们又围到了菲碧身边，那个最高大、身上首饰最多的土著看到了菲碧手中的我。

于是，他发出了一连串奇怪的哼哼声，其他的人也涌到菲碧身边比比画画。虽然菲碧此时非常紧张，但她仍然故作镇定。那个高个子土著应该是个酋长，他伸出长长的手指碰了碰我，然后朝菲碧伸出了手。

天啊，不会吧，他想要我！我心里一阵慌乱，简直都快晕过去了，直到现在想起这件事，我仍然害怕得发抖。

“菲碧，把凯蒂给他！”布尔先生严厉地说道。

“爸爸，不，凯蒂……”菲碧声音颤抖，双眼含泪。

“快点，把凯蒂给他！”我从来没有听见布尔先生用这种语气和菲碧说话，除了戴安娜·凯特号着火的那一天外。

菲碧犹犹豫豫，依然不想交出我。而此时那个大个子酋长已经不耐烦了，他嘟嘟囔囔说了一堆，周围人的神情也不妙。菲碧大概也感觉到了危险，于是不情不愿地交出了我。我一下子就被大个子那双大手捏在了手心中。我不知道他为什么会要我，此时的我浑身无力，只得静静等待最后的时刻。难道我最终还是会变成一堆碎木头吗？想到这儿我就伤心不已。

幸好我多虑了，大个子并没有伤害我，不仅如此，我感觉他还对我充满了敬畏之情。他将我翻过来翻过去，用手指摩挲着我，还动了动我的胳膊和腿，他的举动充满了深深的敬意。接着他朝着那些土著们招了招手，然后将我展现给大家看。我听不懂他们的语言，但可以看到他们脸上充满敬畏的神情。

“这个娃娃真的给我们带来了好运！”我听见比尔对布尔先生说，“我猜那些土著人肯定觉得她是哪路神仙，所以这么敬畏她。”

“你说得没错，比尔。”布尔先生点头说道，“你看他们的眼神，多么虔诚。”

“我就说凯蒂能给我们带来好运吧！”菲碧在一旁也得意地说道。

“是的，菲碧，我以前不相信这些的，但现在我相信了，货郎爷爷说得没错！”布尔太太也附和道。

“可是妈妈，他们还会将凯蒂还给我吗？”菲碧担心地说，之后她还试探性地朝大个子酋长伸出了手。

比尔立马抓住了她的手，“别轻举妄动！”他严肃地说道，“千万别让他们觉得你想把娃娃要回来。”

然后他转头对布尔先生说：“如果我记得没错，那些土著认为拿走了你的神灵就打败了你。显然他们觉得凯蒂就是一个神灵，所以我们不能要回来！”

“的确，我也听说过这样的说法！”杰瑞米点头说道，“这样他们才不会来伤害我们。”

而土著人这时的表现更奇怪，可能他们觉得菲碧刚才伸手的动作像是祈祷，所以他们更加深信我就是个神灵，于是他们开始手舞足蹈起来，在茅草屋前又唱又跳地闹腾了好久。

之后大个子酋长哼了一声，那几百个土著人朝我低下了头，好像都在默默祈祷。之后我就这样被他们带走了。虽然在我身上发生的怪事挺多，但这一件是迄今为止最怪的一件事。

不知道还有没有机会和菲碧相遇，但我也来不及思考这些了。不知道还会有哪些怪事等着我，拭目以待吧！

第八章

我们终于获救了！

大个子酋长带着我到了他们住的岛屿上，还专门用绿叶和竹笋给我做了间小庙宇，在举行了一场盛大的仪式之后，慎重地将我供在了里面，他们在周围的祭坛上摆满了粉红色的木槿花，只要花一枯萎，就马上给我换上新鲜的花。不仅如此，祭坛上还摆放了很多水果、贝壳之类的东西，他们真是太虔诚了，我从来没受到过这样的优待，简直有点受宠若惊。特别是那位大个子酋长，他似乎特别关心我，还准备给我换上他们的服装。不过，当他看到我的衣服上用红线绣的字母后，可能觉得那是什么神秘的符咒，于是更加不敢轻举妄动了。不过，他们还是按照南太平洋岛屿的审美习惯给我打扮了一番，用各种浆果挤出来

的鲜艳的果汁涂到我的身上和脸上，我都不敢想象他们到底将我打扮成了什么样子。可我一想到是我救了菲碧他们，我心中就无比自豪，又有了无限的精神来对付土著人的各种莫名其妙的行为。

我每天坐在他们为我做的庙里，微笑地看着一切，感谢货郎爷爷给我雕了一张永远微笑着的脸，即使我感觉很无聊，很孤单，我也仍旧微笑着。有一两次，我看到远处有两个人影在晃动，好像是比尔和杰瑞米，我的内心就激动万分，他们还没忘记我，可能我还有机会和菲碧重逢吧。

日子就这样一天天过去了，自从来到这里之后，我就记不清日子了。好在周围有很多猴子陪着我。刚开始我们并不熟悉的时候，它们上蹿下跳，叽叽喳喳吵闹不已，有时候还会走近前来用大大的眼睛盯着我看，甚至有几只胆大的猴子还用它们瘦瘦的手指来戳我。不过随着时间的流逝，我们渐渐习惯了彼此，有时候它们灵巧的手指会轻抚我，这给了我不少安慰，特别是一只有着一条灵巧尾巴的白脸小猴子，它时常来看我。有一次，它还给我带来了一份礼物，类似于肉豆蔻的东西，我任凭它将礼物放在了我的怀中，我知道这是它的一片好意，不过后来那东西被另一只淘气的猴子拿走了。

这段时间我一直没听到过菲碧他们的消息，甚至都没看见过他们的人影在附近晃动。我不清楚他们是否知道土著人把我藏在这里，但我还是每天祈祷着，希望他们有一天能救我离开这里。

一天夜里，土著人都睡着了，我听见有东西在向我靠近，起初我有些紧张，不知道是不是凶猛的野兽，等平静下来了之后，我才隐约感觉是个人在向我靠近，他的呼吸离我很近，热气都快喷到我脸上了。这个人到底是谁？他想干什么？我来不及思考，他已经把我从庙宇中拿了出来，然后紧紧地抓住我离开了这里。

我认识这双手！是的，这双手曾经拿过我，虽然还不知道是谁，但我突然有了一种安全感。等我们穿过茂密的棕榈树林后，在昏暗的月光下，我认出了那个人，原来是安迪！的确，安迪又一次救了我！

“太好了！菲碧肯定会很高兴！”安迪边跑边说道。

我也很高兴！

正在这时，杰瑞米不知道从哪儿冒了出来，“你在干什么？”他低声问安迪，“为什么不和他们在一起？”

“我去拿了点东西！”安迪含含糊糊，偷偷将我藏到了背后，“船都准备好了吗？”

“差不多了，就是有一艘小艇漏水，我们所有人得挤在一艘小艇上了！快点，抓紧时间，现在情况很紧急！”杰瑞米急匆匆地说道。

原来，在前几天布尔先生发现了一艘大船，但因为担心不远处的土著人，所以他们并不敢向那艘船发出求救信号。如果一旦发出信号，到最后又没能获救，再回到这儿的话，那些土著人可能就会对我们不客气了。所以大家只能趁着天黑，从山洞里拖出了小艇。

安迪和杰瑞米迅速地跑到了岸边的一处海湾，在月光下我认出了不远处的人，就是布尔先生他们，菲碧和布尔太太已经坐上了那艘小艇，其他的人正在往船上装我们仅存的一点东西，而布尔先生正在紧张地发号施令。这时他看到了安迪，生气地说：“安迪，这个时候你还到处乱跑！要不是现在真没时间了，我真的很想好好教训你一顿，让你长长记性。你再不守规矩，我们就把你留在这儿，让那些土著人来教训你！”

安迪没有争辩，他静静地听完了布尔先生的批评和指责，然后从后背中将我拿了出来。“我去找凯蒂了。”说完，他把我递了过去。菲碧听见这话，马上从小艇上站了起来，差点把小艇给掀翻了。

“菲碧，坐好！”布尔先生转头看着菲碧说道，接着他从安迪手里接过了我，“嘿，果然是凯蒂！”他端详了一会儿之后，将我递给了菲碧。

“好吧，安迪，你刚才就是找凯蒂去了。如果被土著人发现，你知道会有什么下场吗？”布尔先生的语气明显比刚才温和多了。

“我知道，只是菲碧哭着说不想把凯蒂独自留在这里，再加上我知道土著人藏凯蒂的地方，我想着何不赌一把呢，说不定我能把凯蒂拿回来。”安迪吞吞吐吐地说道。

“我们能活着离开这里真是幸运！”比尔插话说。

“也不能大意，要是土著人发现娃娃不见了，肯定会来找我们麻烦的！”鲁本忧心地说。

“是的，要是被他们发现了，我们肯定活不了。不过安迪能将凯蒂拿回来我还是很高兴，如果凯蒂能说话，她肯定也想和我们一起离开！”杰瑞米高兴地说。

“你说得对！”布尔先生说道，“大家伙儿都上船吧，抓紧时间，安迪坐到船头，你眼睛好，好好地盯着那艘大船。”

这时，菲碧又将我抱在怀里了。“妈妈，我以后再也不和安迪争吵了，等我们一回到家，我就把我的银杯全送给他。”菲碧轻轻地说道。

“唉，孩子，咱们还不知道能不能回到家呢？现在说这些有什么用呢？”布尔太太叹了口气，忧愁地说。

接着就是一阵沉默，现在的处境非常危险。如果我们赶不上那艘船，再回到岛上，又被土著人发现了，我们只能是死路一条。如果我们不回到岛上来，就只能在海上漂着，等到食物和淡水资源消耗完了之后，我们只能一沉到底了。这些情况连我都知道，何况是布尔先生呢。但是即便如此，能被安迪救出来，我还是非常高兴，哪怕那些土著人用金子给我盖庙宇，我都不愿意和他们在一起，能和菲碧在一起就是我最幸福的事。

我们所有人都挤在这艘小艇上，所以吃水很深，大风刮起海浪，将我们全身淋湿。我倒是不介意，我希望那些水能将我身上怪里怪气的果汁图案全都冲洗干净，天亮后，能让菲碧看到干干净净的我。

为了赶紧追上那艘大船，几个男人们轮流划桨，此时布尔先生准备的打火石和火镰就派上用场了，只要靠近了那艘大船，他就会发出信号。不过可惜的是，不管船员们多么努力，他们依旧看不见大船上的灯。菲碧此时已经累得睡着了，而那些男人们也是腰酸背痛，但还是在奋力划着桨。

“大家加油，说不定过一会儿就能看到大船了！”布尔先生不停地鼓励着他们。只是，过了很久大家都没看到大船，于是布尔先生越来越沉默了，大家也只是埋头划桨，不再费劲地说话。

突然，布尔先生大叫了一声：“快看，就在那边！在我们的左舷边！”

大家听见这话全都来了精神，都向布尔先生所指的方向看去。“是的，就在那儿，我也看到了！”杰瑞米也高兴地大叫起来。布尔太太激动得全身发抖，菲碧也被他们的喊叫声弄醒了，她高兴地紧紧抱住我。

接着船员们更用力地划桨。“大家加油，虽然还有一段距离，但是加油划，应该很快就能到！鲁本，你也给我一支桨吧，我要把油灯绑在上面，好让大船上的人们能尽快看到我们！”

绑了好久，布尔先生终于把油灯固定好了。不过它的光非常微弱，起不到什么作用。“这样下去不行，我们得烧点别的。要不烧衬衣吧！大家看看先烧谁的？”布尔先生提议道。

其实现在大家身上的衣物已经所剩不多了。鲁本根本没有上衣，他一直打着赤膊在岛上生活；比尔的衬衣在岛上也丢了；杰瑞米的衬衣就像一张破网，不过他还是二话没说，连忙脱了下来：“拿去吧，点燃它！”

接着布尔先生倒出了一点珍贵的油，浇在了衬衣上，不过没过多久，那件衬衣就烧完了。布尔先生脱下了自己的衬衣接着烧，之后是布尔太太的衬裙。与此同时，船员们也奋力地朝着大船的方向划去，不过他们已经没有力气了，所以越划越慢。

“这样下去，我们永远也赶不上大船。唉，难道我们折腾了这么久，他们船上的人都没看见吗？”安迪沮丧地说道。

显然他说出了大家心里的疑虑，没有人敢继续深究，大家都害怕细想后失去心底的最后一丝希望。如果到天亮前，那艘船的人还没看到我们的火炬，我们就不妙了。

“油快烧完了，大家看看还有什么可烧的，咱们再做最后一次努力！”布尔先生严肃地说道。

“把我的披肩和帽子拿去吧，亲爱的，这里还有一条衬裙。都到这会儿了，我也不顾什么形象了！”布尔太太递上了她所有的东西。

布尔先生接过了这些东西，看得出来布尔太太是相当不舍的，我知道，那件披肩是她最喜欢的，她到哪儿都戴着它。布尔太太看着布尔先生点燃它们，一句话都没说。此时，布尔先生将这火炬举得老高，好让大船上的人能看见。

“要是他们连这都没看到，我们也没有别的办法，只能靠自己了！”比尔嘟嘟囔囔地说。

可是连我都知道，在这茫茫大海上，我们的食物和淡水资源都所剩无几，靠自己只能是死路一条了。

火把烧完了，实在没有东西能烧了。船长将那根烧黑的桨扔进了大海。大家都看着那艘大船，祈祷它能朝我们驶来。没有人再划桨了，大家觉得划桨也毫无用处。

过了一会儿，我看见船长猛烈地挥动双臂，大船上的灯光亮起了一团光亮，接着是另一团，之后又是一团。“太好了，他们看见我们了，而且他们在向我们发信号，告诉我们他们立刻就过来！”布尔先生激动得浑身发抖，他声音哽咽，我从来没见过他这个样子。

鲁本也一下子坐到了船上，两只手将脸捂住，比尔和杰瑞米还有布尔太太和菲碧则高兴地哭了起来。“妈妈，太好了，我们得救了！”菲碧边哭边笑着说。

“是的，孩子，太好了，感谢上帝，我们得救了！”布尔太太抚摸着菲碧的头也哭着说道。而此刻如果我能有眼泪的话，也想大哭一场。

那艘船渐渐靠近了我们，天快亮的时候，我们被船员们救上了海森号。海森号的船长和布尔先生是老乡，他非常有礼貌并且十分和蔼，他热情地接待了我们所有人，给了我们很多安慰。

海森号是一艘漂亮又结实的商船，他们主要是前往印度和中国，去那里做生意。他们会经过这附近也纯属偶然，因为前不久遇到了一场风暴，使得船偏离了原来的航线，他们才来到这里。接到我们之后他们又回到原来的航线，前往印度。

那位和善的船长看到大家的衣服都所剩无几，慷慨地找出了一些旧衣服和布料。我们一行人连忙穿了起来，男人们不管什么，只要能穿得下就往身上套，而布尔太太则拿了两块印花布给自己和菲碧迅速地做了两件衣服，上面的图案特别花哨，穿在她们身上不伦不类的。之后船长看到了菲碧手中的我，还大方地将他最好的真丝手帕送给了菲碧，让她把我包裹起来。我的确非常需要这条手帕，要知道那些土著人把我脱得只剩下内衣了。

布尔先生也非常慷慨，他说等船一靠岸，他就给我们买些衣服好好打扮打扮。因为他离开戴安娜·凯特号的时候带走了仅剩的一点金子，他将金子始终挂在脖子上，以备不时之需。

“唉，要是运气好，我们可不是仅剩下这么一点金子！”布尔先生沮丧地说。

“可不是，船上的油桶全装满了，如果能顺利回家，我们不知道能赚多少钱。”杰瑞米也难过地说道。

“好啦，现在能保住一条命就是不幸中的万幸了！”

布尔太太鼓励大家说。

的确如此，听到布尔太太这样说后，大家仿佛又有了精神，虽然我们什么都没有了，但至少我们还活着。再说了，这艘海森号可比我们之前的捕鲸船要干净得多，而且船员们也很友善，没过多久，我们就和他们混熟了。菲碧经常和船员们讲述我们的冒险故事，船员们也很捧场，显出很感兴趣的样子。虽然我身上的果汁已经洗干净了，但菲碧还是会指给他们看那些土著把果汁涂在了哪儿。

“这个娃娃的经历真是太特别了！”一个船员说道。

“是啊，咱们可能都没有她这样的经历！”另一个船员也非常赞同，“不过你们觉得这个娃娃会不会想念被土著人供起来的日子？”

“我觉得不会，我的凯蒂最喜欢和我待在一起！”菲碧摇摇头认真地说道。

的确，菲碧太了解我了，我确实愿意和她待在一起。

不过，很快，我们又分离了！

第九章
印度奇遇

这艘大船下一站会在印度的孟买靠岸，很快大家就开始如火如荼地讨论该上岸买些什么。布尔先生说想给布尔太太买一条最漂亮的披肩，以弥补之前的那一条，安迪则想要一把象牙柄的小刀，海森号的船长说想给自己的女儿买一条珊瑚手串，并且他建议布尔先生也给菲碧买一条。大家都商量好了之后，就等着船靠岸了。终于看到期盼的海岸线出现在我们眼前时，我们激动万分，拼命大叫起来。

“船靠岸啦，大家今天休息一天，好好去岸上体验一下风土人情！”海森号的船长微笑着说道。

于是，我们一行人就踏上了印度的土地，第一次来到这儿还真是有点适应不了。这里到处都是穿着长衫、包着头巾的男人们，他们在街上边走边逛，嘴里嘟囔着我们都听不懂的方言。有时候还会看到几个半裸的人，他们的胳膊和腿就像打结一样紧紧地叠在一起，而且整个身体扭曲着，看上去非常奇怪。

“他们管这些人叫苦行僧。”看到我们惊讶的眼光，船长连忙解释道。

“菲碧，别看，这也太可怕了！”这时旁边走过来一个两只胳膊长在一起的老人，布尔先生连忙捂住了菲碧的眼睛。

“大家跟着我走！”这时一位了解当地情况的船员对我们说道。他熟悉这里的路，而且还略懂几句方言，跟着他一定能买到我们想买的东西。果不其然，我们买到了很多称心如意的东西：一条上好的印度刺绣纱，一块精美的披肩，还有各种小饰品。就这样，菲碧拥有了好几条手链，有银的、珊瑚的、贝壳的，等等。不仅如此，就连我也拥有了一条红珊瑚项链，向导说那本是用来当鼻环的，可是我戴上刚刚好，菲碧还说要给我做一条印度纱衣，将我好好打扮一下。

我们在孟买的大街小巷中穿行，能听到从庙宇里传来的当当声，还看到了有人牵着老虎、大象、牛在街上走过，这真是个神奇的地方。那个船员带着我们到了一个他熟悉的餐馆，里面还有人用小鼓在演奏着奇怪的音乐，除我以外，他们都品尝了可口的咖喱饭。吃完饭后，大家继续在街上闲逛。不过到了下午菲碧就走累了，她吵着要回到船上去，可布尔先生还有很多东西要买，于是他安排比尔带着菲碧回去。

菲碧太累了，走着都快睡着了，于是比尔把她抱了起来，菲碧的脑袋耷拉着靠在他的肩膀上，手里拿着我，放在比尔的肩头晃晃悠悠，哦，这个位置实在太危险了。菲碧睡着之后，手渐渐松开了，我就这样掉了下去。这可如何是好？我无法引起比尔的注意，于是我就这样离开了菲碧，留在了一条不知名的小巷子里。

周围人声鼎沸，全是我听不懂的异国语言。这可怎么办？我幸运地从土著人那里逃脱了，现在却丢在了印度。菲碧会回来找我吗？即使她回来也是一个小时之后她从睡梦中醒过来的事了，何况就算他们能来找我，他们怎么会找到这里来呢？这条不知名的小巷子根本就没有任何辨识度。不管怎样，我还是满怀希望，但愿他们能找到我吧！

正当我躺在地上祈祷菲碧能回来时，我被一位瘦黑的老人捡了起来。他穿着破破烂烂的衣服，戴着头巾。显然我脖子上戴着的这条红珊瑚项链引起了他的注意，他捡起我后将我转来转去，将我擦干净后就塞进了衣服里，将我带到了一个我不可能知道的地方。天呀，看来我无法和菲碧再次重逢了，我简直沮丧极了。

等我被老人从衣服里拿出来之后，我发现已经是晚上了。他把我放在硬石头的地面上，旁边还有一个柳条篓子，那篓子里传出了嗞嗞嗞的声响，我没听过这种声音，不知为什么这声音让我毛骨悚然，我感觉很不好。这里面装的肯定是什么可怕的东西。在昏暗的灯光下，我看到这位瘦黑的老人和另外一个包着头巾的男人一起进来了。那男人拿出了一根笛子吹了起来，那声音又尖又细，接着那篓子里的东西动了起来，那声音越来越大，都快把上面的盖子给掀掉了。我害怕极了，可是又很好奇，里面到底是什么东西？最后，那篓子的盖子猛地被掀起来了，我看到了，原来是一条眼镜蛇，它晃动着柔软的身体一点一点从篓子里直起了身体，最后从篓子里滑了出来，朝那个印度人爬去。我在一旁害怕极了。这时，那个印度人突然停住了音乐声，那蛇爬到一半也停了下来，之后那印度人又吹奏起更加急促的音乐，蛇的速度也越来越快。我明白了，原来正是这音乐控制着这条眼镜蛇，它也身不由己，只能任凭那个音乐控制。

那条蛇在音乐的控制下在房间里爬来爬去，从这边滑到另一边，我第一次这么近距离看到眼镜蛇，也睁大眼睛仔细地观察着它。它的眼睛闪着亮光，嘴里吐着信子，它的身体在地上滑来滑去的时候发出了轻微的响声。有一次它那冰冷的身体从我的脚边擦过，我顿时僵住了，快要崩溃了，整个头皮都在发麻，过了好久才渐渐平复下来。

好在时间能改变一切，本来我对这眼镜蛇非常畏惧，但相处时间长了，也就渐渐习惯了。虽然我和它之间谈不上什么友谊，但我现在看到它再没有那种头皮发麻的感觉了。每天那个印度人都会过来好几趟，用音乐来训练这条蛇，只要音乐一响起，它必定会从那篓子里滑出来。

那印度人带着这条蛇到处表演，而且每次他们都会带上我一起，在那个年代的印度，耍蛇人是赚不到什么钱的，如果不是因为我不吃东西的话，他们肯定也不会带上我。每天表演完了之后，印度人只吃一些白米饭，而那条眼镜蛇则会自己随便找点蜥蜴、苍蝇来填饱肚皮。就这样，我们走遍了印度的大街小巷，至少我是这么感觉的，因为我们总是在不停地赶路。有时候我真的非常想念菲碧，如今我在这异国他乡，别人说的话我一句也听不懂，实在感到非常孤单。难道我会就这样度过一生吗？每次想到这儿，我都会悲伤不已。

有一天傍晚，我们来到了一个小村庄，停在了一座房子前，那房子和村子里的其他房子都不一样。这时，耍蛇人将我放在地上，像往常一样，当着当地小孩的面，拿出笛子开始表演起来，孩子们一阵惊呼。这时，我突然听到了一个我熟悉的语言在说话。

“亲爱的，快点，要不然我们就回不了家了！”这是一个男人的声音。听到这熟悉的语言，一股浓浓的乡愁顿时朝我袭来。

这时，我看到一男一女朝这边走来，他们皮肤黝黑，身上穿的衣服也很旧，早已被洗得发白。我多想引起他们的注意啊！这时，可能是孩子们传来的喧闹声吸引了他们，他们走了过来，站在人群的最外面观看眼镜蛇的表演。这时，我看到那个女人推了推那个男人，用手指了指我。

他们看到我了，真是太好了。我多么希望他们能救我脱离这里。也许是因为我的花楸木果真是幸运的象征，我听到那个女人说道：“亲爱的，你看那个娃娃，我打赌那绝对不是印度的娃娃，瞧她的表情和头发，一看就是从我们的家乡来的！”

“的确如此，对了，你觉得咱们买下她送给咱们的女儿恩恩如何？”那男人说道。

“我也正有此意！她在这里长大，连个像样的娃娃都

没有。不过你不觉得这娃娃有点太脏了吗？”

“没关系，回去洗洗就干净了！”那男人说道。

太好了，他们要买下我，我简直开心极了。

那男人会说当地的印度语，于是他找到那个印度人咨询了价格，经过一番讨价还价之后，那个印度人最终答应了，将我递给了那位女士。那女士赶紧将我裹在了手帕里，因为我身上实在太脏了。

跟着他们回去后，那女人立刻将我放进了肥皂水里，给我好好洗了个澡。他们一边收拾着我，一边交谈着。原来他们是来这里传教的传教士，还在这里建了学校和教堂，传播上帝的福音。他们有个女儿名叫恩恩，我即将被当作礼物送给她。

“你看，这娃娃洗干净后，还真像那么回事儿。看到她这张纯正的美国人的脸，我都有点想回家了！”那女人说道。

“是啊，洗干净后乍一看过去，还和我妹妹有点像呢！”那男人笑着说道。

“我想把这娃娃好好打扮打扮，按照咱们美国人的样子来穿衣服。那样的话，咱们恩恩也不至于每天都看着袍子和头巾这样的印度装扮。”

“你想怎样弄都行！”

“你看这儿，亲爱的，这娃娃的名字还绣在内衣上呢，唉，可怜的娃娃，以前肯定是待在一户好人家，不知道怎么就落到了耍蛇人的手中。”

“是啊，冥冥之中自有定数，正在我们恩恩需要娃娃的时候，她就出现了。上帝的安排总是不会错的！”那男人说道，“对了，咱们什么时候把娃娃送给恩恩呢？我真想看到恩恩高兴的样子。”

“亲爱的，别着急。等我先给娃娃做一条合适的裙子，给她穿好了，一切收拾妥当之后，在恩恩生日那天送给她。下个星期就是她生日了，到时候恩恩就会拥有她的第一个娃娃！”那个女人温柔地说道。

于是，他们小心地将我塞进一个盒子里藏好了，绝对不会被恩恩发现。太好了，下周我将会出现在一个生日宴会上，作为礼物送给一个小女孩，我又有小主人了。那个小主人会是个怎样的人？她会像菲碧那样疼爱我吗？我真是非常期待。

第十章
我的新主人

等了一段时间，恩恩的妈妈终于给我做好了衣服，不过不得不说，她打扮娃娃的手艺可不怎么样，她用一块十分俗气的棉布给我做了一条大裙子，裙摆都拖到地上了，领口处的褶皱都把我的红珊瑚项链遮住了。不过能干干净净再次穿上这体面的衣服，我已经十分满足了。

在恩恩四岁生日的这一天，他们将我送给了她，第一次拥有自己的娃娃的恩恩显得特别高兴，而我呢，再一次有一个小主人也非常开心。和她的相处过程其实非常平淡，虽然她不像菲碧那样喜欢我，但总体来说也还不错。

恩恩虽然出生在传道士的家庭里，从小听着赞美诗长大，可是她的性格有些喜怒无常，也许是因为她没多少朋友能一起玩，而且他们的印度保姆总是事事都顺着她。

不过我在这个山区的传教点里倒是学会了不少知识，因为恩恩的妈妈每天只要一闲下来就会教授恩恩读书、写字、学习数学，虽然刚开始我一点都听不明白，但日子久了，我也渐渐耳濡目染懂得了不少。

等到恩恩五岁生日的时候，她已经长高了不少，也越来越调皮。有一天，她突然发了高烧，昏迷了好几天，她的父母把手上能用到的药全用了也没起作用。那印度保姆十分焦急，她寸步不离地守着恩恩。但是恩恩却越烧越厉害。这天，趁着恩恩的父母不在家，那个保姆偷偷溜出去找了个印度医生来。那医生仔细看了看恩恩，然后摸了摸她的前额和手，在恩恩身上做了几个奇怪的动作，然后留下了一些草药，告诉保姆如何煎，之后就离开了。那保姆知道恩恩的父母不信这一套，于是她偷偷找来罐子将药煮好后，趁着恩恩妈妈出去了，迅速进来将药喂给恩恩吃。我知道，她是打定主意一定要救恩恩。

也不知是恩恩父母的药起了作用，还是保姆的草药起了作用，抑或是她自己挺了过来，总之恩恩慢慢好了起来。她渐渐能下床活动，只是没有以前活泼了。看到她这个样子，她的父母下定了决心要送恩恩回美国。

一天，趁着恩恩睡着了之后，我听见她的妈妈说道：

“亲爱的，我觉得这里的气候实在不适合小孩子，看来咱们得把她送回去了！”

“是啊，不能再犹豫了。那咱们就把恩恩送到费城去吧！”

恰好这段时间会有两个女传教士离开这里，于是，他们拜托那两人将恩恩带回美国。不过她们的行程突然提前了，于是恩恩的父母抓紧时间将行李打包，一路坐着牛车到了孟买，之后再送恩恩坐船回美国。

恩恩和父母告别时号啕大哭，要知道她这一去后，至少要有五年时间见不到爸妈。恩恩的父母将恩恩交给那两位传教士之后也哭了起来。之后，恩恩和那两位女士上了一艘大船。

离开父母的恩恩更加调皮了，那两位女士几乎没有带孩子的经验，所以她们也只能管她吃喝，而当恩恩调皮时，她们却一点办法都没有。没过多久，恩恩就像菲碧一样在船上四处乱窜，在绳梯上爬上爬下，不过她可没有菲碧那样胆大心细。她在这艘船上和不少船员交上了朋友，不过因为她出去玩时一般都不会带上我，只是将我放在船舱里，和那两位女士在一起，所以我对她的事情所知不多。

大船每天都在快速航行着，现在已经离美国越来越近了。虽然我已经离开美国很久了，而且距离遥远，但那里是我的出生地，也是我日思夜想的地方。一天清晨，在我的强烈期盼中，我们终于靠岸了。

一上岸，我就看到了恩恩的外公，他接我们上了马车。终于回到了故土，我兴奋极了，两旁都是漂亮的房屋，绿树吐着嫩绿的新芽，商人们正在忙着打扫门面，准备开门迎客，远处教堂的尖顶也隐约可见。哦，太好了，空气中这清新的味道让我着迷，这一切都让我喜出望外。

在外面漂泊了这么久，我终于回到了熟悉的故土上。可以说，这是我和菲碧分别以来最快乐的一天。

很快，马车在一栋房屋前停了下来。“来吧，孩子，下来吧，咱们到家了！”恩恩的外公和蔼地说道。这时我看见邻居们都伸出头来看恩恩，大概他们也非常好奇。

那房子坐落在一个教堂旁，不过房子并没有菲碧家大，总体来说干净整洁，十分雅致，天花板上挂着一盏精致的水晶灯，照得家里亮闪闪的。

“哦，我亲爱的外孙女，我终于见到你了！”这时恩恩的外婆从厨房里冲了出来，“你瞧瞧亲爱的，”她转过头对外公说道，“这印度哪里是养孩子的地方，这可怜的小家伙连一件像样的衣服都没有。唉，看到我的外孙女穿成这样可真是让人难过！”

恩恩在一旁不知所措，她第一次见到外公外婆，实在不知道怎么办才好。

可能外公看出了她的不自在，于是对外婆说道："没关系，咱们明天就去买布料，找个最好的裁缝来给咱们的外孙女做几身最漂亮的衣服，保证不比费城里任何一个女孩差！"

"那也得要等好几个星期，可我已经答应了普赖斯一家，让咱们恩恩明天就去他们家参加生日聚会呢！"

听到这儿，恩恩高兴坏了，要知道，在印度她可从没参加过什么生日聚会，这让我也很高兴，我也可以开开眼界见识一下了。

第二天一大早，外婆就带着我们出去买东西了。街上商店里的东西都很漂亮，不过那个时候可不像现在可以随时买衣服，那时候的衣服都是找裁缝量体裁衣，全部都是手工制成的，一个裁缝要花很长时间才能做出一件衣服来。但是外婆还是坚持要给恩恩买些东西，逛了一圈后，她给恩恩买了一条玫瑰花苞图案的腰带和一双用上好的山羊皮做成的皮鞋。回到家后，外婆立刻为恩恩梳妆打扮，她把恩恩的头发梳得油光发亮，还将恩恩妈妈的一条蓝色珐琅吊坠找出来给她戴上。

"虽然还差一套新衣服，不过眼下也只能这样了！"

临出门前，恩恩才找到一块从她的腰带上裁下来的布料给我当作披肩。之后她又替我整理了一下，将我的红珊瑚项链拉了出来。我们就这样前去参加生日聚会了。

普赖斯的家与外婆的家就隔着几户人家，因此外婆让一位女仆送我们过去。很快我们就到了普赖斯的家门前，他们家与外婆家是一样的，都是砖头砌成的房子。进去后，在仆人的指导下，我们将外套和帽子挂好了，那上面已经有很多帽子和外套了，看样子来了很多人。这时我听到了从楼下传来的叽叽喳喳的说话声，这让我想到了我之前在乌鸦的鸟巢中那几只整天吵闹不休的小乌鸦，顿时我参加生日聚会的兴趣全无。不过没办法，已经到这儿了。于是恩恩拿着我，另一只手扶着楼梯扶手慢慢地下楼了，因为印度都是平房，所以她还不习惯这样的楼梯。

刚下楼，一位身材高大、穿着拖地长裙的女士就朝我们走了过来，她热情地在恩恩脸上亲了亲："小家伙，让我看看你，你长得像谁呢?"

"我谁都不像，像我自己！"恩恩经过了一天的船下生活，又变得调皮起来，"将来我还要戴鼻环呢！"

"哦，我的天啊！"恩恩的回答让那女士大吃一惊，接着她转过头来对另外两位女士说，"看来那两位老人家要准备好吃苦头了。这孩子多有主意啊！"

接着她就把我们领进了一个大房间，里面的小女孩全都穿着蓬蓬裙，系着鲜艳的腰带，穿着蕾丝边的裤子，头上则戴着亮丽的蝴蝶结，真像一只只美丽的小蝴蝶，而恩恩的打扮则相形见绌了。

这时那些女孩看到了恩恩，全都涌了过来，交头接耳地议论着恩恩，她们叽叽喳喳，捂着嘴笑着，那神情和态度让人一看就不舒服。或许她们就是这样对待一个新来的小女孩的，总之我们感到了阵阵寒意。

这时一个女孩子看着恩恩，大声对她身边的同伴说道：“哦，难道在印度都是这样打扮吗？那我永远都不会去那里！”

“喂，你的裙子上怎么一条花边都没有？”另一个女孩更直接、更粗鲁地问恩恩。

此时恩恩手足无措，她从没面对过这种情况，她原以为自己已经打扮得很漂亮了，没想到会招到别人如此的非议。哦，可怜的恩恩，她就像落入了一群野兽的魔爪中，毫无反抗能力，只得瞪着她们以表达她的不满。

嘲笑完恩恩后，她们又将目光转到了我身上。

“哈哈，你们看她这娃娃，可真是丑啊！”

“就是，现在谁还会拿这样的娃娃，真是太可笑了。”

“这娃娃难道是猫从垃圾堆里叼出来的吗？”

……

整整半小时，她们不停地在嘲笑我。虽然我知道自己经过了海上漂流，太阳暴晒，烈火烘烤，已经不再像以前一样光鲜，身上的油漆都掉了不少，可是人们经过磨难不是都会苍老一些吗？不过好在我是见过世面的娃娃，不会被她们这些话语伤害。相反我认为她们将目光转移到我身上，不再嘲笑恩恩，是我为恩恩解了围，她回家后肯定也会感谢我。

嘲笑完之后，那些女孩又拿出了自己的娃娃，她们的娃娃都是瓷娃娃或者蜡娃娃，个头都比我大，而且身上涂有漂亮的釉彩，只有我一个是木头做的，也是她们当中最朴素的一个。此时恩恩心里五味杂陈，我认为她如果向她们展示我的红珊瑚项链，应该会给自己掰回一局，但是她一直沉默着，她的沉默让我感到害怕，难道她心里有别的打算了吗？

之后，她们被叫去餐厅吃饭，孩子们把娃娃都放在了一张沙发上，我也被夹在其中。的确，那些娃娃都非常美，但我一直提醒自己，长得漂亮并不代表一切。我一定要在她们面前保持微笑，展现我最优秀的一面，至少不能给恩恩丢脸。

正在这时，恩恩跑过来了。原来，现在是点生日蜡烛和许愿的环节，孩子们都聚拢过去吹蜡烛。哦，我的恩恩肯定是要带我过去见一下世面的。我的内心高兴极了，看来我的小主人对我还是不错的。正当我喜滋滋的时候，恩恩一把抓过我，下一秒我就惊呆了，她把我塞进了沙发底下。因为我个头太大，不能一下塞进去，她只能拼命用手指头把我往里戳，直到将我戳到里面她看不见为止。那沙发是马鬃毛做成的，扎得我浑身难受，我躺在那里很不舒服，身体的不舒服还是其次，最重要的是我不明白恩恩为什么会这样做。我刚刚不是还帮她解围了吗？

最后，我听到了她离开的脚步声，她走了，抛弃了我。唉，没想到我一直把她当成朋友，而她却以我为耻，这让我心里很不是滋味。没想到被人抛弃的感觉这么痛苦。以至于当我得知那些蜡娃娃因为靠着炉火太近而被灼伤脸后，我也高兴不起来。有什么值得高兴呢？孩子们都带走了自己的娃娃，只有我，只剩下我，此时我已经万念俱灰了。

第十一章

听歌剧明星的演唱会

尽管我很伤心，但日子还是要继续，我没日没夜地待在这马鬃毛沙发底下，弯腰弓背地躺着，期待有一天能被人发现。其实，在生日聚会结束后没多久，我就听见这家主人在商量是否要换掉这个马鬃毛沙发，我真心希望他们能换掉这个沙发，那样我就能重见天日了。但结果还是没能如我所愿。

感谢那段时光能让我好好冷静下来思考，恩恩因为遭到他人的嘲笑就把我抛弃了，可见她学过的圣经对她的心灵没起到什么作用。

说不定回家后，如果她外公外婆问起我来，她还会谎称把我弄丢了，之后让他们再给她买一个新的、漂亮的娃娃。哦，这个世界的人呀，都是以貌取人。本以为我的一生就这样只能靠着回忆度过了，没想到我又重见天日了。

有一天，一些孩子又来到这家玩耍，这是我最高兴的时刻，我喜欢他们的吵闹声，这样我才不至于寂寞。

“嘿，我们来玩开火车的游戏吧。”一个男孩建议说，于是他们所有人都围到了沙发跟前。这些孩子们模仿火车发出的轰隆隆的声音，他们使劲在沙发上蹦啊跳啊，我在沙发底下都感到了震动，如果我不是幸运的花楸木做成的话，肯定会被他们折腾得散架。正在我担心之时，突然我感觉自己被一只柔软的手触摸到了，命运就是这么神奇，他抓起了我，一下子把我从黑暗的沙发底下解救了出来。我终于再次见到光明！

只见那些孩子个个都低着头看我，他们的眼里充满了好奇，有些孩子还用手指戳了戳我。“哇，是个木头娃娃！”他们喊叫道。

“可是这么好玩的木头娃娃怎么会在沙发底下？”于是他们赶紧找到家里的大人拿给他们看，大人们都不认识我，唯一见过我的那次生日聚会的主角已经长大嫁人了。于是他们将我送给了她的小表妹。

那个小女孩比我前面两位小主人都要大一些，将我送给她的时候，她刚刚过完十岁的生日。我本来以为她不会接受我，因为经过了这么多年的折磨，我已经不再光鲜，但没想到特蕾莎却欣然接受了我，这有点让我受宠若惊。

和特蕾莎在一起的时光我特别快乐。她是个安静的小女孩，比我前两位主人都要安静。她的身体很瘦弱，有着一张看上去很严肃的脸，灰色的眼睛，尖尖的下巴，一头柔软的棕色头发，总是被打理得井井有条。

“我要给这个娃娃做几件漂亮的衣服！”从见到我的第一天开始，她就对她妈妈说道。的确，她很擅长做针线活，比我前面两位小主人强多了。

那天当她脱下我外面的衣服时，她发现了我的内衣上绣着我的名字。“凯蒂，哦，你的名字叫凯蒂。看样子你以前的主人还挺重视你的，还把你的名字绣在了内衣上。”

“特蕾莎，我认为这个娃娃戴着的红珊瑚项链太过华贵了！”特蕾莎的妈妈说道。

当特蕾莎的妈妈这样说的时候，我仔细地观察她。的确，她的妈妈非常朴素，身上没有一件多余的装饰，按照她妈妈的观点，首饰都是一些华而不实的东西。

不过特蕾莎苦苦地哀求道：“妈妈，我觉得这条红珊瑚项链和凯蒂非常相配，求求你，就让她戴着吧。”

看着特蕾莎柔弱的笑脸，她的妈妈实在不好拒绝，于是说道：“那好吧，不过如果我发现你开始迷恋这些无用的首饰之后，我会马上摘下它，同时，我要求你给她做一件高领衣服，尽量把这条红珊瑚项链遮住。”

“好的，妈妈，我一定办到。”特蕾莎认真地说。

之后特蕾莎专心给我做了好几件衣服，尽管那些衣服颜色并不鲜艳，不过数量很多。她还给我做了两件可以换的外套，此外还有一件米色和棕色树枝花样的印花布做成的家居服，这件衣服我从周一穿到周六，之后她还给我做了一件专门在周日穿的衣服。

“凯蒂穿上这衣服真的好像我们家人，和我们有着一样的信仰。”特蕾莎的妈妈称赞道。

“是的妈妈，我特意按照我们的服装样式来做的。”特蕾莎骄傲地说。

“不过你得记住了，千万不能将她带到咱们教堂去。”特蕾莎的妈妈认真地说。

“我知道妈妈，您放心！”

到现在我知道了，尽管这个世界发生了很大的变化，但不许带娃娃进教堂这一条还是没变。

特蕾莎经常带我逛街，这时我发现街上的女人的服装有了很大的变化，女人们的裙子里有一种叫作鲸骨圈的东西，将她们的裙子撑得鼓鼓的，看上去非常有意思。

“唉，我真希望自己能穿这样的衣服。”特蕾莎的姐姐露丝看着路上来来往往的女人们，羡慕地说道。

我了解她的苦恼。露丝是个漂亮的十八岁的女孩，她有着粉红的脸蛋，乌黑的眼睛和头发，但因为她们家信仰的原因，不允许她打扮得花里胡哨。她们家追求简单朴素的装扮，因此露丝从来没穿过那种类型的衣服。

“唉，要是没出生在这样的家庭就好了！”露丝继续唉声叹气地说。

特蕾莎不太理解姐姐的痛苦，只能在一旁静静地听着。

“对了，特蕾莎，我有很多丝绸和薄纱的布头，咱们可以给凯蒂做些漂亮的衣服！”露丝高兴地说道。

“好啊，姐姐，我们一定可以把凯蒂打扮得漂漂亮亮！”特蕾莎也非常高兴。

“不仅如此，我们还可以给她做一个娃娃屋！”

“娃娃屋？”特蕾莎不太懂。

“是啊，我知道阁楼上有个木头盒子，我去把它收拾干净，可以在里面给凯蒂隔出一个房间，还能给她做一个书桌呢！”

露丝说干就干，马上去阁楼收拾木头盒子了。

收拾好木头盒子后，特蕾莎给盒子的四周糊上了纸，并且还用一个小盒子给我做了个长椅，之后又做了一个书桌。特蕾莎还裁了一张邮票大小的纸，用鹦鹉掉下来的羽毛给我做了一支笔。

就这样，我在我的娃娃屋里度过了很多幸福的时光。特蕾莎经常帮我添置一些新的物品，比如在冬天的时候，她给我编织了一块地毯，而且还送给了我一个小瓷狗。

在第二年十月时，市里发生了一件大事，歌剧明星阿德里娜·帕蒂要来了。

这里的人们都在谈论她，大家都说她天生有一副好嗓子，声音高亢又有一些复杂的颤音，虽然年龄不大，但是已经在纽约出名了。

大家都想一睹芳容，亲耳听听她的歌喉，毕竟这次机会实在太难得了，因为她在费城仅办这一场演唱会，之后她就会前往欧洲去给那里的国王和王后唱歌。

“妈妈，我好想去看阿德里娜的演唱会！”露丝在家对妈妈说道。

“可那票价太贵了，我们负担不起。再说了，我们觉得你不应该沉迷于这种世俗的享乐，有空还是多读读圣经吧！”不出意料，她的妈妈没同意。

尽管特蕾莎也想去，不过她知道自己问了也是白问，所以她只是在一旁静静地听着。

特蕾莎的热情也感染了我，因为她从报纸上剪下了阿德里娜的照片，并且贴在了我小屋的墙上，让我也认识了这位歌剧明星，尽管她看上去并不是十分漂亮，但是听说她的声音让人过耳不忘。

开演唱会的那天就在人们的盼望中到来了，全费城的人们都沉浸在这种好奇与兴奋中。

特蕾莎将我带到学校去，学校有三个女生有演唱会的门票，她们放学后会去参加演唱会，因此她们不管上课还是下课都在聊这件事。在回家的路上，有个叫保罗的男孩和我们同路，他家就住在特蕾莎家附近。

“特蕾莎，你想去听演唱会吗？”保罗突然问道。

“什么？”特蕾莎还没意识到怎么回事。

“阿德里娜的演唱会啊，你想去吗？”

“当然想！会有人不想吗？只是去不了啊！”特蕾莎叹了口气说道。

“能去！”保罗笑着说道，“我能带你去！”

“怎么去？要花好多钱才能买到门票的！再说了，现在就算有钱也买不到票，早在几个星期前票就被一抢而空了！”特蕾莎不相信地说道。

“我有个叔叔在乐队里吹长笛，他能带着我和乐队的人一起进去，不需要门票。而且我都去了好多次啦！”保罗骄傲地说道。

“真的吗？那真是太好了！”我感觉特蕾莎兴奋极了，

她浑身都在颤抖，“太好了，而且今天我爸妈要去一个亲戚家吃饭，要到很晚才能回家。”

于是保罗就开始给特蕾莎讲述自己的计划，特蕾莎也说自己可以假装回房间睡觉，之后再偷偷溜出来和保罗碰面。

这简直不像是我认识的特蕾莎，她平时都是循规蹈矩的，说话声音都很小，没想到她今天会有这样的举动，简直让我大吃一惊。

回到家后，特蕾莎就将我放在了娃娃屋里，自己则在一旁收拾打扮。不知道她会不会带上我，让我也亲耳听听这位歌剧明星的歌喉。

晚饭前，爸妈要去走亲戚了，他们临走前交代露丝一定要照顾好弟弟妹妹，露丝也满口答应了。

特蕾莎送走了爸妈，她的脸蛋憋得通红，我知道她一定会去找保罗。

之后，她来到娃娃屋将我拿了出来，并且还找出了一件用丝绸做成的衣服给我换上。“凯蒂，我要带你去参加演唱会，你高兴吗？”

特蕾莎边说边将那串红珊瑚项链从我衣领里拿了出来。“可真是漂亮！”她边整理边赞美。说实话，这可真让我高兴。

“来吃晚饭啦！”露丝叫道。

于是特蕾莎赶紧去吃晚饭，露丝也在一旁催着她们，因为露丝急着去朋友家玩。不过她在走之前得照顾好弟弟妹妹。于是吃完晚饭后，她让他们洗一洗后便催促着他们上床睡觉了。

“你可以晚点睡。”露丝对特蕾莎说道，“我走了，你们在家要注意安全。”

特蕾莎看着姐姐离开后，马上从抽屉里拿出了她那件最漂亮的裙子换上，还找出了最舒适的鞋子，并且还从姐姐露丝的房间里拿出了一条蓝丝缎的腰带，这是朋友送给露丝的礼物。特蕾莎悄无声息地做好这一切，没有惊动任何人。之后她拿上我，披上那件棕色斗篷就出门了。

夜幕下秋风萧瑟，华灯初上，特蕾莎抱着我在街道上狂奔，我知道，她是害怕被邻居发现之后盘问她，为了能顺利听到演唱会，她得赶紧离开这条街道。终于她跑到了约定的地点，此时保罗已经和他叔叔在等着特蕾莎了。等特蕾莎到了之后，他们就前往演唱会现场了。

保罗的叔叔胖胖的，他穿着厚厚的外套，这让他看上去显得更胖。他的胳膊下夹着一个黑色的皮匣子，保罗悄悄告诉特蕾莎，这里面装的就是演奏时用的长笛。

“咱们得快点了，要是他们都进去了的话，我就没法将你们俩都带进去了！”保罗的叔叔说道。

于是特蕾莎和保罗手牵着手加快了步伐。终于来到了剧院前的那条街道，街上已经停满了各样的马车，剧院门口灯火辉煌，人声鼎沸，感觉全城的人都涌过来了，那场面真是热闹极了。

“哈哈，瞧这儿热闹的，还有一个小时才开场呢！”保罗的叔叔笑着说道，“来，你们俩抓住我的衣服，别走丢了！”

于是特蕾莎和保罗抓住了叔叔的衣服往前走去。没过多久我们就来到了剧院的侧门，这里的人也很多，只是比大门口的人少一些。保罗的叔叔和周围的人打着招呼，他们手里都拿着大大的乐器，我们费了半天劲才挤进了剧院。之后保罗的叔叔向负责人打了个招呼。

“好啦，现在就把这两个小家伙交给你了，奥尔！我去忙了！”说完保罗的叔叔就走了。

“你放心吧！”那个叫奥尔的说道，说完他又将头转过来对我们笑着说，“你俩归我管了，保证你们什么都不会错过！”

我们站在舞台的侧边，看到乐手们都坐在了舞台上，他们将乐器拿在手上，边聊天边校对音准，熟悉乐谱。保罗认识这个乐团里的大多数人，因此他在向特蕾莎介绍他们，看得出来，今晚特蕾莎兴奋极了。

“特蕾莎，幕布前面装了很多灯，待会儿会非常亮！”

保罗来过很多次，所以他非常熟悉这里，他一一向特蕾莎介绍道。

演出快要开始了，人们的情绪逐渐高涨，我们身边也站满了人，不过奥尔是个好人，他站在旁边保护着我们，好让那些人不会挤到我们前面去。

“今晚这剧院里座无虚席，自从这剧院建成以来，就没见过这么多人！”奥尔对特蕾莎和保罗说道。

演出终于开始了，奥尔拉动了身边的几条绳子，幕布就此拉开了。顿时，我感到幕布前的灯光亮如白昼，远远比保罗说得要亮。舞台下全是人，二楼的包厢里也坐得满满的，整个剧院里好像一点空隙都没有了，到处都是人！

“哎呀，可真够热的！”特蕾莎说道。

“是啊，我也觉得挺热。这灯光太亮了！”保罗也附和说。

于是特蕾莎脱掉了自己的棕色斗篷，保罗也摘下了围巾，奥尔将他们的衣物放在了一个高高的凳子上。

演唱会开始了，我看到阿德里娜被人从化妆室里引出来了，我们周围的人立刻蜂拥而上，她旁边一个壮汉不得不推开大家，好让她能过去，那壮汉就这样一直护送阿德里娜到了舞台上。乐队在这个过程中一直不停地在演奏着，舞台下面的人看到阿德里娜上了舞台后仿佛失去了理智，他们疯狂地叫喊，鼓掌，跺脚。欢呼声完全把乐队演奏的音乐声盖住了。

面对这些激动的观众，阿德里娜镇定自若，完全不像只有十九岁的样子。这时人们开始往舞台上扔玫瑰花，阿德里娜平静地弯下腰捡起一朵玫瑰，就好像前面没有好几千双眼睛盯着她一样，她旁若无人地开口唱起来了。

当美妙的天籁之音从这个瘦瘦的黑眼睛姑娘的嘴里发出来时，吵闹不堪的人们顿时安静下来，没人再说一句话，甚至我觉得大家一动都不敢动，都静静地陶醉在这歌声中。

当她唱完前面几首短暂休息时，我听见我们后面一个老太太声音哽咽地说："哦，真像个天使啊！"

不过对我而言，我觉得她更像一只百灵鸟，而且在一首歌中，她也的确模仿了鸟儿们叽叽喳喳的叫声。她的歌声让大家意犹未尽，观众们疯狂地喊着她的名字，并且大叫着："安可，安可……"

"这是'再来一首'的意思！"保罗在一旁向特蕾莎解释道。

于是阿德里娜走上舞台，又为大家反复演唱了几遍，观众们非常热情，他们拼命地往舞台上扔着鲜花。最后舞台上的花已经多得捡不过来了，乐队也不得不停止演奏，阿德里娜非常有风度，她不停向台下的观众鞠躬微笑着。

这时，人们都太过激动，纷纷挤上舞台，想更进一步靠近阿德里娜。特蕾莎也被疯狂的人们推来推去，她紧紧地抓住我，此时她的手发烫，脸上都开始冒汗了。我们就这样被人群挤着，一直挤到了舞台的灯光下。这时，我突然发现我们已经站到了阿德里娜所在的那个平台旁了，乐队就近在咫尺，我甚至都能看清楚他们小提琴上的纹路。

我们就这样和阿德里娜一起站在这平台上，只有我们俩，我也不知道这一切是怎么发生的，也可能是某个乐手把特蕾莎举到了这里，反正这一切都发生得太快了，快得让我都来不及反应，我只是非常激动。

站在阿德里娜旁边，我可以更仔细地观察她。她和照片上一样，个子不太高，头发上绑着彩色的丝带，并且盘在头上，她的眼睛就像黑葡萄一样亮晶晶的，嘴巴小小的，看上去非常秀美。

她看到我们上来后，转过头来对着特蕾莎笑了笑，并和气地向特蕾莎伸出了自己的手，她的手指十分修长，只是特雷莎靠近阿德里娜的那只手上正拿着我，因为一时激动，她竟然都没想起来将我换一只手拿着。过了一会儿，她终于意识到了，将我换到了另一只手上后，又用那只手紧紧地抓住了阿德里娜。

台下的观众们激动万分，他们纷纷将鲜花抛上舞台，我们都快被鲜花淹没了。之后，阿德里娜谢幕后准备离开，但人们却仍然围绕在她身边，久久不愿散去，人们都想再近距离接触她，或者从她那里接到一朵鲜花，有些人甚至想从她衣服上扯下点什么以作纪念。显然这么慌乱复杂的场面不适合特蕾莎和我，人们在我们身边涌动，我感觉好像身处大海，随时会被吞没，说实话，这感觉可真不好！

我们到处寻找保罗或者负责人奥尔，但挤在这么多成人中间，要想挪动脚步都是件很困难的事，更何况要找人呢！不一会儿，特蕾莎就有点上气不接下气了，我真害怕她会因为窒息而晕倒，此时她憋红了脸，不停地喊着保罗和奥尔，但她的声音很快就会被嘈杂的吵闹声淹没。

过了十几分钟后，奥尔才在人群中发现了狼狈不堪的我们，他挤进人群将我们带到了安全的地方。特蕾莎这才舒了一口气。

“咱们得快点离开这里，小家伙，这些人都失去理智了，太可怕了，小孩子在这儿很危险。”奥尔说着，之后拉着特蕾莎到了一扇门旁。

保罗和他的叔叔在门口等着我们，我们立刻出了门。

“哎呀，我的斗篷还没拿！”到了外面，一阵寒风吹来，特蕾莎这才记起自己的斗篷被放在一张高凳子上。

“还有我的围巾也找不到了！”保罗也一脸沮丧地说。

“咱们先回家吧，现在再回去也找不到了，你们看那么多人。”保罗的叔叔在一旁安慰道。

于是他们往家的方向走去。快到家附近的路口时，保罗的叔叔和他们告别：“小家伙们，你们大概一辈子都不会忘记这场演唱会，好多人想听都听不到呢！早点回家，晚安！”

“谢谢叔叔，晚安！”特蕾莎此时又累又冷，她没有说多余的话，简短告别后，她就跑回了自己家。

这时，特蕾莎的妈妈给她开了门。“妈妈，您要是知道我去了哪儿，应该不会让我进门。”特蕾莎内疚地说道。

通过她父母的神情，我猜想他们已经知道特蕾莎参加音乐会了。果然如此，后来他们说他们去亲戚家吃完饭后，碰巧也去了演唱会的现场，之后看到他们的女儿和阿德里娜牵着手站在舞台上，他们简直惊呆了。不过看着特蕾莎这可怜的样子，冻得全身都在发抖，他们也就不想为难她，直接让她睡觉去了。

第二天，报纸上刊登了阿德里娜演唱会的长篇报道，而且还特别提到了特蕾莎最后和阿德里娜手牵着手的那一个场面。

“唉，这孩子啊，当时我和她爸爸看到她在舞台上，就站在聚光灯下，我们心情糟糕极了，她爸爸甚至都想把她拉下来，但是没办法，人太多了！”特蕾莎的妈妈和邻居聊天说。

“如果是我的女儿，我肯定会让她吃些苦头，给她点颜色看看。”有个邻居狠狠地说道。

特蕾莎的妈妈没有接话茬，显然她不想再让特蕾莎受折磨了，特蕾莎已经够难过了，这几天都躺在床上保暖，以防感冒。特蕾莎的妈妈还帮她补好了被人抓破的衣服，但她那件棕色的斗篷却没有找到，这让特蕾莎难过极了。

过了几天，特蕾莎身体好转，只要一想到阿德里娜的那次演唱会她就会非常高兴。

第十二章

残酷的战争

日子一天天平静地过去了，一天特蕾莎的爷爷说要带她去照相。

那一天，特蕾莎穿上了自己最好的衣服，之后带上了我，跟着爷爷去照相馆。爷爷是位慈祥又健谈的人，一路上都有人和他打招呼，好不容易才到了照相馆。

摄影师和特蕾莎沟通了一会儿，告诉她照相时一动都不能动。于是特蕾莎乖乖地坐在镜头前，连眼睛都不眨一下，她紧紧地抓着我，我也对着镜头微笑着，很快照片就照好了。摄影师告诉爷爷几天后就可以来取了。

几天后，我们去了照相馆取照片，但可惜的是，照片上没有我，由于摄影师的疏忽，他没把我照进去。我简直失望极了。

可特蕾莎不愿意就这么放弃，她一遍一遍地说道：“不行，不行，我要把凯蒂也照上！”

“特蕾莎，你看你照得多好啊！没有凯蒂也没关系，反正她就是个娃娃！”爷爷安慰道。

“我不，没有凯蒂我不高兴！”我感觉特蕾莎都快哭出来了。

那个摄影师在一旁非常不好意思，他自己也认为他这张照片拍得很好，如果再让他拍一张，他不敢保证自己还能拍得像这张照片这么好。摄影师抓了抓脑袋，特蕾莎还在一旁吵闹，突然他说道：“我有办法了！我可以单独给你的娃娃照一张照片！”

特蕾莎听到摄影师这样说高兴极了，而我也是受宠若惊。要知道在当时，只有主人和娃娃们的合影比较多，单独给娃娃照相可是十分少见！

于是，我一动不动地坐在镜头前，保持了微笑，反正我的笑容刻在脸上，想保持多久都行。

为了帮我照出一张让特蕾莎满意的照片，摄影师可是下了大功夫。他找来了一个插着玫瑰花的花瓶和一些黄色的果子放在我旁边，用那些颜色来做我的背景。而特蕾莎也在一旁给我整理衣服，之后还将我的红珊瑚项链从领子里拿了出来。

“后面的背景衬得她的黑色衬衣非常漂亮，她叫什么名字?”摄影师问特蕾莎。

“她叫凯蒂，是从一张马鬃毛沙发底下找到的，我特别喜欢她，还带她去听了阿德里娜的演唱会呢！”特蕾莎骄傲地说。

“这个娃娃的经历还真是丰富，而且她看上去性格也很好。我要给她好好拍一张照片！”摄影师笑着说道。

接着他钻进一块黑布里，喊道：“凯蒂小姐，请看这里，保持微笑，不要眨眼！”

我一动不动地听从摄影师的指挥，事后他非常满意，笑着对特蕾莎的爷爷说道：“来我们这儿照相的人都不如凯蒂这么听话！”

“哈哈哈哈，那是！”爷爷也笑着说道。

“请你们明天来拿凯蒂小姐的照片！”摄影师说道。

第二天，特蕾莎和爷爷再次来到照相馆，将照片拿回了家。

大家都围过来观看，大家都说特蕾莎的照片照得很像她本人，而我的照片也照得特别漂亮，我自己高兴坏了。特蕾莎将照片放在了我的娃娃屋里，我每天都能看到自己的照片，真是太幸福了！

特蕾莎家里经常有客人来访。一天爸爸回家说，有个名叫约翰·克里夫·惠迪艾的先生即将到他们家来做客，他是那个时代非常有名的诗人，因为他反对南方的奴隶制度，而特蕾莎的父母也持这个观点，所以他会来特蕾莎家拜访。有时候他们一家人还会朗诵一本叫《汤姆叔叔的小屋》的书籍，我听着里面的内容都不禁难过，而这些内容也深深地刺痛了特蕾莎敏感的心，看到她听得眼泪不停地流，她妈妈连忙走过来让她去睡觉。

在惠迪艾先生即将到来的前几天，特蕾莎特意准备了一首诗歌准备在他面前朗诵。

她非常认真，在惠迪艾先生来的那天，她已经将那首诗背得滚瓜烂熟了。

惠迪艾先生的马车到了家门口，特蕾莎的爸爸和爷爷到门口迎接他，我和特蕾莎从窗户里看到了他，他看上去瘦瘦的，很和善的样子。

之后，露丝让特蕾莎下楼的时候，我特别激动，这可是我见到的第一位诗人！

惠迪艾先生非常和蔼地看着我们，特蕾莎在他面前朗读了她前几天背诵的那首诗，惠迪艾先生静静地听着，之后还礼貌地向特蕾莎说了声谢谢。

“你的嗓音像百灵鸟一样甜美，希望你永远能保持这声音！”他说道。这时，他看到了特蕾莎手中的我，好像很感兴趣的样子，特蕾莎看见后将我放在他的膝头，之后跑去拿来了我的照片给惠迪艾先生看，而且还给他讲了我所有的故事，惠迪艾先生认真地听着，并且兴致勃勃地打量着我。

“这个娃娃看上去很安详，而且她的名字——凯蒂是个普通又好听的名字。”惠迪艾先生说道。

到了分别的时候，惠迪艾先生还递给特蕾莎一张纸条，那张纸上是他特意为我而作的一首诗，只可惜年代久远，我已记不得了。

接下来的日子发生了很多事情，当然有很多是我这个娃娃不明白的。不知道从什么时候开始，身边的人们都在谈论战争和一个名叫亚伯拉罕·林肯的人。好像之前他们朗读的《汤姆叔叔的小屋》和这些事都有关系。

有一天我记得很清楚，特蕾莎的爷爷从外面回来后脸阴沉沉的，他沉重地对特蕾莎的妈妈说：“哦，战争最终还是要爆发了！”

的确，他们不喜欢自相残杀，但是他们也很反对南方的奴隶制。接着，特蕾莎的爷爷就开始念征兵启事，特蕾莎的妈妈听见后顿时泪流满面。

从这一天开始，周围的空气都变得紧张起来。尽管特蕾莎他们家并没有人被派去打仗，但每天看到一些穿蓝色军装的人扛着行李、背着长枪从门前经过，大家的心里还是很忐忑的。

特蕾莎的姐姐露丝身边有很多小伙伴都到军营里接受训练去了，露丝还经常给他们写信和织袜子。其中有个名叫约翰的圆脸小伙子还给露丝寄来了他第一套军装上的第一颗纽扣，还有一张照片，露丝将这几样东西认真地珍藏起来了。

从这天开始，她变得端庄安静起来，后来大家才知道，原来露丝已经答应了约翰的求婚，等他打完仗回来就嫁给他。

不过露丝的爸妈并不高兴，他们偷偷地说，战争太残酷了，约翰想要活着回来估计很难。

的确，战争非常残酷，每天报纸上都会刊登新的阵亡将士的名单和最新战况，大家都沉浸在这紧张的氛围中。而且特蕾莎也不再像以前那样关心我了，并不是她不喜欢我了，而是因为经济的原因。家里辞退了几个佣人，白天她必须和妈妈、姐姐一起做家务，晚上就刮干净棉布上的棉绒，给伤员们做绷带用。这个活儿很辛苦，干一会儿指头就会变得僵硬、生疼。

可惜我不能参与她们的劳动，只能在一旁静静地看着。那段日子谁都不好受，露丝漂亮的脸蛋也失去了光彩。有一天她收到一封信，信上说约翰受了重伤，被一颗子弹击中了大腿。露丝看到后潸然泪下。

特蕾莎将这个消息告诉保罗和附近的孩子。“他回来的时候可能会有一条木头腿了！”保罗说道。

“唉，说不定就回不来了！”特蕾莎也忧心忡忡地说，“露丝将他送的那个纽扣挂在了脖子上，而且还将他的照片放在了枕头底下！”

“那是，露丝已经答应嫁给他了！”保罗回答说。

时间渐渐过去了，特蕾莎十二岁生日过后，她就将所有的布娃娃和瓷娃娃送人了，不过好在她还留下了我。但这并不让我那么高兴，我经历的这一切告诉我，一旦发生了变化就很难回到从前了，说不定有一天我也会被送人。

这一天，露丝又收到了约翰的信，信中说他现在正在南方的一家疗养院，他得到了很好的照顾，现在也恢复得很好。他还提到有个小女孩比特蕾莎小一两岁，她经常去疗养院看望他，那女孩有个瓷娃娃，不过在战火中瓷娃娃的头被子弹打中了。他经常给那个小女孩讲述我的故事，那小孩很喜欢听，因此这一次她还摘了一朵花来送给我。接着露丝将那朵花拿了出来，经过长时间的运输，那朵花已经被压得扁扁的了。

“凯蒂，你看，这朵花是一个南方的小姑娘送给你的！”露丝将那朵花拿到我跟前。

“哼，我的凯蒂才不想要南方人的花！”特蕾莎愤愤地说。

“特蕾莎，你这样可不对，圣经上还教导我们，要爱我们的敌人呢，何况那个小女孩是一片好意！”特蕾莎的妈妈耐心地说。

之后，我听见露丝和特蕾莎商量想要把我寄到那里，送给那个小女孩，因为那个小女孩经常去看望约翰，她实在想不出有什么方法可以报答她了。

特蕾莎有些不情愿，接着她妈妈说路途太远了，而且现在又是战时，他们不一定能收到，于是这件事情就这样作罢了。

第十三章

我成了时尚模特，并且见到了狄更斯先生

战争终于快要结束了，特蕾莎要被送去一所寄宿学校学习。于是，他们就把我收进了一个盒子里，里面还放上了好多樟脑丸，那个气味真是让我难以形容。我在这盒子里待了两年多，终于有一天特蕾莎的家人打开了这个盒子，之后将这盒子和一些旧家具、旧衣服、旧布料寄给一个住在纽约的远方亲戚。送货的车子装满了整整一车，但那个邮递员太粗心了，将我和另外几个箱子送到了华盛顿的一栋房子的阁楼上。

到了这家阁楼上，很久都没人来检查这个箱子，我估

计很难再遇到一个小主人了。

直到有一天，终于有人打开了这个箱子，我又一次重见天日。我遇到了蜜莉·萍琪小姐，她戴着一副眼镜，眼睛是蓝色的，脸十分瘦削苍白。她是个裁缝，在这户人家里给他们做衣服，因为她要来找些缎带给伊莎贝拉小姐的衣服镶边，她在找缎带的时候找到了我。

她偷偷将我从盒子里拿了出来，没有给哪个小孩，而是将我藏在她衣柜的最上面。到了晚上，她将我拿了出来，开始给我量尺寸，为我做新衣服。她嘴里含着大大的针头，看着很让人害怕，她的手指又瘦又黄，不知道她做出的衣服会怎样呢？

接着我听到了她自言自语道："我一定会让她们大跌眼镜！"接着她好像又对我说道："娃娃，我一定会让你容光焕发，我给你设计的服装一定不比那些大牌设计师差！哼，她们都太小瞧我了！"

说完，她就开始拿着剪刀剪裁布料。她那把剪刀特别大，她拿着时我都感到很害怕，因为那剪刀非常锋利，我担心她会不小心将我剪成两半。不过好在她的手艺很娴熟，那把大剪刀在她手里运用自如。我想不用太久我就会穿上蜜莉小姐为我缝制的新衣服。

蜜莉小姐之所以会这么费心给我做衣服，实在是因为她不甘心自己仅仅是一个不起眼的小裁缝，她要向大家证明她能做时髦女装设计师和高级女缝纫师。但是她太穷了，雇不起模特，因此她祈祷自己能有一个模特，之后她就发现了我。我觉得她实在是精力旺盛，忙了一天后，她又回到她的小屋里给我做衣服，她是真心热爱做衣服这一行，而且她的手艺非常好，每一个褶子和接缝处都完美极了。她一边做活一边嘟囔，这让我对这户人家也有了些认识。

“那个丽丽小姐，非要在她的紧身衣上缝上青贝纽扣，而且还要镶三道边，简直多此一举。哼，我告诉你，她实在配不上那件衣服！还有啊，那个伊莎贝拉小姐，眼睛大、头发卷就很了不起似的，小家伙骄傲得像只小孔雀……”她嘟囔着，但是手中的活却没停下来，还是很流利地穿针引线，剪裁缝制，我简直被她的手艺折服了。

在她的打扮下，两个星期内，我已经大改模样了，从一只丑小鸭变成了白天鹅。她将我身上的旧衣服都脱了下来，只留下了我那件亚麻布做成的内衣，可能蜜莉小姐也觉得那布料非常好吧，此外她还留下了我的红珊瑚项链。接着她给我穿上了那套衣服，丝质的上衣搭配着打了褶子的裙子，腰身恰到好处。裙子上面缀满了蝴蝶结，她还给我做了一件蓝色的天鹅绒的外套，上面还绣着小花环，还有一顶插了羽毛的小帽子和一双白色的鸭绒手套，真是美极了。如果让特蕾莎的妈妈看到，她肯定会咋舌，说太过奢侈了。

“太好了，终于完工了！”蜜莉小姐将我打扮好后伸了一个懒腰，之后她将我上下打量了好几遍，检查还有没有什么做得不好的地方。

“不是我吹牛，这条街上可再也找不出比你更时髦的娃娃了！”

于是她将我放在了她的梳妆台上，自己出门工作了。我从镜子里看到身着盛装的自己，兴奋极了。我简直像换了一个人似的，自己都差点认不出自己了。

正在我为自己陶醉时，门开了，进来的人不是蜜莉小姐，而是个七八岁的漂亮小女孩。她的眼睛又大又亮，还有一头漂亮的栗色卷发，她的衣服也很讲究，她是我见过的所有小孩中最漂亮的一个。我都被她迷住了。

只见她小心地环顾着房间，之后轻轻地走到了梳妆台前，她惊讶地看着我，还用手摸了摸我身上的衣服，接着把我带出了房间。

我跟着她下了楼，来到楼下一间装了很多镜子的大厅里。这时从门口走进来一位穿着皮衣、戴着鸵鸟毛帽子的高个子女士，那个小女孩赶紧奔向她，之后将我高高举起，喊道：“妈妈，你看！”

“伊莎贝拉，这是哪里来的娃娃啊？”那位女士拿着我问道，“你从哪里得到她的？”

“就从蜜莉小姐的梳妆台上。妈妈，这个娃娃好漂亮，我想要她。”那个叫伊莎贝拉的小女孩撒娇地说道。

“说了多少次了，不许进工人的房间，你怎么这么不听话！”她妈妈责备道。

“我从门口路过时看到的，你看这娃娃的衣服多漂亮啊，还有她的这条裙子是用你的衣服上的碎布做的，而她的外套则是用丽丽的天鹅绒做的。”伊莎贝拉解释道。

她妈妈仔细端详起我来。“确实啊，没想到蜜莉小姐还有这样的手艺，能做出这么时髦的服装来！”

正在她们说话时，蜜莉小姐过来找伊莎贝拉小姐，所以听到了她们的对话，也看到了我。

“抱歉打扰了，伦塞乐夫人，那个娃娃是属于我的。另外请您好好管管伊莎贝拉小姐，她为什么要进我的房间拿我的东西呢？谢谢您！”蜜莉小姐不卑不亢，一脸严肃地说出了这段话。

显然，这些话刺痛了伦塞乐夫人，她恼羞成怒，不仅不管教自己的女儿，反而大声责骂蜜莉小姐：“哼，你不过就是个裁缝，有什么资格来教训我……”

她说了一大段很难听的话，我就不在此向大家一一叙述了。最后她问道："你这个娃娃是从哪里得到的？"

蜜莉小姐很诚实，她告诉她们是从阁楼上找到的。

"哈哈，那这个娃娃就是我们家的！妈妈！"听了蜜莉小姐的话，伊莎贝拉高兴极了，"是我们家阁楼上的娃娃，而且她的衣服也是用我们家的碎布做成的，那她就属于我们！"

"不行，她是我找到的，而且我为了给她做一身衣服费了很多心血！我要用这个娃娃做模特，向大家证明，我是个好裁缝！"蜜莉小姐的态度异常坚决。

我在一旁听着她们的争论，心里感到很不舒服，她们的话语中充满了指责和负能量。正在这时，伊莎贝拉的爸爸回来了。他看上去就是一位彬彬有礼的绅士，留着棕色的胡子。他问清楚了来龙去脉后说道："你们听我说！"接着他清了清嗓子。

"这个娃娃……"他继续说道。

"爸爸，娃娃的名字叫凯蒂。"伊莎贝拉打断爸爸的话提醒道，因为她看到了我内衣上绣的名字了。

"好的，这个凯蒂是在咱们家的阁楼上发现的，所以当然是属于咱们的财产。但是凯蒂身上的衣服是蜜莉小姐一针一线缝出来的，如果没有蜜莉小姐的手艺，它们就只是一些要被扔掉的布头。所以凯蒂身上的衣服是属于蜜莉小姐的！”说完，他对着蜜莉小姐微微一笑，蜜莉小姐也对着伦塞乐先生笑了笑，刚刚紧张的气氛得到了缓解。

这时伊莎贝拉上前说道：“可是爸爸，如果没有这娃娃，要这衣服有什么用？”

伦塞乐先生点点头说：“你说得对！蜜莉小姐，咱们商量一下你看这样如何，我们花钱买下这个娃娃，将这个娃娃送给伊莎贝拉，然后我们还会向时装协会推荐你的作品，你看如何？”

“好的，先生，您这个安排再好不过了！”蜜莉小姐非常高兴地同意了，我也对这个提议非常满意。

于是，从这天开始，伊莎贝拉成了我的小主人，她虽然有些毛病，但总体来说还是个非常讨人喜欢的孩子。她精力充沛，经常带着我上蹿下跳，虽然她有十几个娃娃，但她最喜欢的还是我。有一次一个人当着伊莎贝拉的面说：“这个娃娃不算太漂亮！”伊莎贝拉马上说：“你也如此！”那人气得脸都绿了。

伊莎贝拉和哥哥哈利在家里上学，有一个脸色苍白的年轻人来给他们俩上课，只是他将自己的注意力放在了哈利身上，经常给他朗诵一本叫《恺撒》的书，对于伊莎贝拉他倒是不太管，所以伊莎贝拉自由极了，想干什么干什么。而且因为她是家中最小的孩子，长得又漂亮，所以伦塞乐先生将她视为掌上明珠，他经常带着伊莎贝拉出去散步，伊莎贝拉也总是将我带上。总之，伊莎贝拉非常喜欢我，她去哪儿都带上我，不管是跟她妈妈出去买东西，还是出门做客，或者去学舞蹈、钢琴，我们都形影不离。

与伊莎贝拉在一起的这一年，我遇到了一位大人物。那天，天气非常寒冷，不过爸爸还是要求和伊莎贝拉出去散步。于是伊莎贝拉穿上那件蓝色外套，戴上一顶插着红羽毛的小圆帽，之后将我打扮了一下，帮我戴好了鸭绒手套，然后就和爸爸出门散步了。他们那天散步去看望一位生病的朋友，就在那条路上我们碰到了那位大人物。

我们刚走到一间大厦门口，就听见伦塞乐先生低声对伊莎贝拉说："快看，那位穿着大衣的就是鼎鼎有名的狄更斯先生！"

"不会就是写《尼古拉斯·尼克尔贝》的那位狄更斯先生吧？"伊莎贝拉睁大眼睛惊讶地问道，连我都能从她的语气里听出深深的敬意。

"就是他，孩子，快点好好看看他！"伦塞乐先生也兴奋地说。

伊莎贝拉高兴坏了，一不小心松开手将我掉到了地上，正好掉到了那位伟人的脚边。我也惊呆了，不知如何是好。这时，那位狄更斯先生停下脚步，他弯下腰，然后小心地拾起我，之后还朝伊莎贝拉非常绅士地鞠了一躬，就将我还给了伊莎贝拉。伦塞乐先生在旁边微笑地看着这一幕。

“哦，我亲爱的爸爸，你看到了吗？狄更斯先生用他的右手拾起了凯蒂，是用右手哦，那可是他写书的手！”伊莎贝拉抱着我，骄傲地说道。

“我看到了，孩子。很少会有娃娃有这样的经历，将来你可以将这段经历告诉你的子孙们！”伦塞乐先生微笑地说道。

一回到家，伊莎贝拉就向每个她见到的人讲述这段经历，而且还将我展示给所有人看。就这样一连持续了好几个月，我都有些飘飘然起来，就像伦塞乐先生说的那样，这个世上有几个娃娃能有这样的殊荣呢？

可这样高兴的日子没持续多久，最终我还是和伊莎贝拉分开了。事情是这样的，新年到来的时候，因为伦塞乐先生觉得伊莎贝拉太小，不适合参加酒会，就让她待在楼上自己玩，可伊莎贝拉是个精力旺盛的孩子，她才待不住呢。于是她穿好衣服带着我就偷偷出门去看望一个朋友。

那天晚上，天气非常寒冷，因为大家都在过节，所以街上也显得非常冷清。这时不知道从哪里冒出了一些野孩子，他们穿着破旧的衣服，朝伊莎贝拉要钱。可伊莎贝拉出门没带钱，于是那些孩子看见周围没人，便开始抢她身上的衣物。

“你们看，她的披肩还不错！”带头的那个孩子叫道。于是大家蜂拥而上，开始扯伊莎贝拉的衣服。伊莎贝拉不停地拳打脚踢反抗着。“你们最好别惹我，否则我会让我爸爸来收拾你们！”她喊叫道。

“哈哈，她还威胁我们。我们好害怕哦！”那些野孩子笑着说道。

伊莎贝拉非常勇敢，面对这一帮野蛮的小子，她没有低头，我想大部分的女孩子在这一点上都不如她。但是在慌乱中，我掉到了地上。我已经来不及思考太多了，此刻只祈祷有人能赶紧过来救她。

正当她快没有力气时，突然远处传来了一阵口哨声。

“警察来了，快跑！”带头的小子说道。于是他们四处逃散了。等警察过来后，伊莎贝拉忙着向他介绍情况，已经忘记我还在地上。

第十四章
乡村之旅

过了一会儿，又来了一群野孩子，他们发现了躺在地上的我。其中一个男孩家里正好来了位小妹妹，于是就想把我送给这位小妹妹。

我跟着那个男孩来到了他的家，这里与伊莎贝拉的家截然不同，非常简陋。回到家后，他就将我送给了一位和妈妈一起过来做客的名叫辛迪的九岁女孩。幸运的是，辛迪性格温和，是个漂亮的小女孩，但脸上总是一副忧郁的神情。

尽管我的衣服在伊莎贝拉和野孩子们对抗的过程中被扯得不像样了，但没有人想着给我缝补一下。幸好，和辛迪在一起我感觉很安全也很温暖。

虽然再也不能穿漂亮衣服了，但我还是能感觉到辛迪对我的爱。

经历了这么多，我明白小主人们对我付出的感情是最可贵的，那些衣服都是其次。

辛迪和妈妈在这里住了一段时间后就起程回家了，她带上了我，我也第一次坐了蒸汽火车。第一次看到蒸汽火车，我被它那吵闹声吓了一跳。不过坐上之后，看着两边不断后退的风景，我简直惊讶极了。

“人类的发明真是太厉害了，希望有一天我的辛迪还能坐着飞机上天呢！”辛迪的妈妈和旁边的人聊天道。

“肯定会等到这一天了！”旁边的人附和道。

经过了一两天的时间，我们终于到了辛迪的家。她和妈妈还有叔叔婶婶、表兄表弟们住在一起。

因为辛迪身体不好，所以她不能去上学，也不能和附近的孩子们在一起玩耍。她每天都待在家里帮妈妈照看炉子上的那些锅和水壶。

就这样，日子过得很平静，没有任何波澜。不过对于辛迪来说，我就是她的精神支柱，有这种感情对我们木头娃娃而言已经知足了。

这年春天，辛迪得了感冒，妈妈试了很多种方法都不管用，她的病还是不见好。

一天，辛迪的婶婶从乡下找来了医生。那医生看了看辛迪后，告诉她妈妈要把孩子送到乡下去，接着他还说了一个地名，并补充说那里的孩子个个身体健康。

辛迪的妈妈考虑了一阵子，决定再等等看，等到辛迪的身体好到可以出门了，再把她送到农场去住一段时间。过了一段时间后，辛迪能下床了，于是她妈妈就帮她收拾好了行李，把她送到了一个农场，让她在那里待一个夏天，好让身体能完全康复。

这一路上风景优美，两旁的田野上开满了白色和黄色的小雏菊，到了农场后，布拉克特太太前来迎接我们。

她胖乎乎的，看上去很和善。她有六个小孩，其中有三个孩子的情况也是和辛迪类似，都是来这里休养的。布拉克特太太照顾小孩非常有经验，她知道在他们吵闹的时候如何来安抚他们，也知道如何逗他们开心。更重要的是，布拉克特太太还很欣赏我，她说我看起来好像很善解人意的样子，她总是毫不吝啬地夸赞别人，弄得我都有点害羞了。

一天，马车夫要去拉干草，农场的七个孩子都吵着要去。

于是布拉克特太太答应让马车夫带着我们去。等堆完干草后没地方可坐，我们就坐在了草垛上。我还从来没坐在那么高的地方呢。

不过说实话，坐在上面看到的风景可真是很美，连绵不断的草地、山林和农场十分壮观。孩子们也很高兴，他们在上面不停地叫喊着，随着车身的摇摆，孩子们的身体也不停地前仰后合。

突然，其中一个孩子惊叫起来。

“啊！有老鼠！”他边喊边从草垛上站了起来，“就在我屁股下面有一窝老鼠！”

车上的三个女孩子吓得不轻，她们尖叫着爬开，幸好没掉下去。这时，马车夫听到动静也停下了马车，爬上草垛安慰大家。

他拿着草叉在草堆里叉着，不一会儿就发现了那一窝老鼠，原来那窝老鼠都是刚出生的，它们全身粉粉的。

于是他将那一窝老鼠拿下来放到了路边。“看到老鼠别害怕，它们不敢把我们怎么样！”马车夫安慰几个女孩说道。

可是就在这一阵慌乱中，辛迪的手松开了，我掉进了草垛深处。等回到了农场后，辛迪这才发现我不见了。她十分沮丧。

“没关系，我叉草的时候会留意的，一旦发现娃娃，我马上给你送来！”马车夫安慰辛迪说。

但愿能早点发现我，我可不想被牛吃进肚子，我暗自想到。不过马车夫后来估计忘记了，他也没发现我。

再后来，辛迪和她的小伙伴们来找过我，不过由于我藏在草垛的深处，他们没有发现。

好在草垛非常柔软，尤其在冬天，草垛里还会发出香味。我和几只田鼠成了朋友，它们经常在我身边叽叽喳喳，这让我很高兴，如果是我一个人待在这里该有多寂寞啊，幸亏有它们的陪伴，我这日子每天都热热闹闹的。田鼠在给它们的孩子洗脸时，看到我很脏，有时候也会给我擦擦脸。

第十五章

我参加了展览会，结果……

日子过得很平静，直到有一天，一个工人用草叉将我所在的那个草垛叉了出来。一头母牛吃草时还将我咬在了嘴里，差点将我吞了进去。正在这个时候，一个小男孩发现了我，他从那牛嘴里将我夺了出来，之后把我带到了农场的小茅屋里。

这时我才发现农场换了新主人，而此时这里的女主人正在为寄居在这里的两位年轻人做早餐。

据说这两位年轻人是画家，他们其中一位名叫法利的很喜欢我，就花了 0.25 元将我买了下来。不过另一位画家对我不感兴趣，他觉得我只是一个普通的木头娃娃，不值得法利为我花钱。

“你不知道，这娃娃虽然外表上看起来很旧，而且衣服也破了，但不能只是看外在啊，要看内心！”法利说道。

我为他的这句话感到自豪。是的，法利说的这句话一点儿都没错。

第二天法利就带上我到处去写生，他还给住在附近的人们画了几张肖像画。当他给一位女士讲起我时，那位女士很感兴趣，于是法利就把我从包里拿了出来给那位女士看，那位女士看到我的衣服实在破旧不堪，于是答应给我做一身新衣服。

虽然她是位喜欢跳舞和骑马的女士，并不太擅长手工活，但她还是很认真地给我做衣服。她脱下我的破裙子和破衬裤，看到了我穿着的内衣，虽然上面绣名字用的红线已经掉色了，但还是能认出来。她把我的名字指给法利看，法利轻声说道：“哦，这个娃娃名叫凯蒂。知道了她的名字后，我对她的感觉更好了！”

之后那位女士给我穿上了她为我缝制的衣服，做工虽然一般，但在经历了这么多之后能穿上一件新衣服，我已经非常满意了！法利还用一小块油布将我的脸擦干净了。

“好凯蒂，弄干净后还是挺漂亮的！”法利边擦边说道，“过两天我要给你画一张画像！”果然他说到做到了。第二天他在给一个小女孩画像的时候，将我放在了那个女孩的怀里，然后给她画了一张很好的画像，当然也把我画在了里面。

于是从这天开始，我成了这位画家的专属模特。只要是给小女孩画像，他就会将我放在她们的怀中。法利是位旅行画家，他走到哪里画到哪里，因此那些年我和他一起走过了很多地方。由于我在很多人的画像里出现过，因此在当时我还小有名气，也许你们在自己外祖母的画像中还见过我呢！

和法利在一起时我过得很开心，但是有一天，我突然从镜子中瞥到了自己的容颜。这一眼可真是让我太伤心了，这么多年的经历让我的容貌改变了太多。货郎爷爷当时雕刻我的时候，给了我一张粉红色的脸蛋和蓝色的眼珠，可惜在岁月的流逝中，这些颜色都很淡了。不仅如此，身上的油漆也掉得差不多了，慢慢露出了花楸木的纹理来。唉，再也回不到从前了，我简直悲痛万分。不过，好在当有人说我太旧了的时候，法利却说越旧的东西越有感觉，他的这个回答让我十分欣喜。

那些年跟着法利东奔西走，我也到了很多地方，比如去了几次纽约还有费城，只可惜我没有听到以前主人的消息。之后，我又随着他到了新奥尔良，当时整个城市都在为即将到来的游行而忙碌着，法利好不容易在两位老太太那里租到了房子并住了下来。这座房子是一座古宅，门前还有个大院子，可惜房子里只住了安莱特·拉本和霍婷思·拉本两位老太太。

两位老太太年轻时都很漂亮，我在客厅里看见过她们年轻时的画像，简直可以用沉鱼落雁来形容，只可惜随着岁月的流逝，她们的容颜已经失去了往日的光芒。她们俩之间很少谈论这类话题，我能理解，因为岁月的流逝同样给我的身体带来了很大的变化。

有一天，两位老太太请法利过去喝咖啡，并嘱咐他将我也带上，说是有一位朋友想看看我。原来那位朋友曾经是她们哥哥的朋友，他来找她们借一件她们母亲的衣服，去参加一个棉纺织品的展览会。两位老太太想到可以按照她们那个年代的样子将我好好打扮打扮，所以想和法利商量，让我来当她们的模特。

“你这娃娃的表情非常生动，我们会亲自给她好好打扮，之后再放到展览会最显眼的位置。展览结束后，我们会将娃娃毫发无损地还给你！”老太太说道。

“好的，您拿去吧，正好这段时间我要出去给人画像，将凯蒂交给你们我非常放心！”法利微笑着说道。

之后，两位老太太将我带到了楼上的房间，开始商量用哪块棉布给我做衣服。她们讨论了很久，最后终于达成了一致，决定用婚礼时带的那块手帕。据说那块手帕是用她们曾曾祖父的种植园里种植的棉花纺织出来的，之后又带到了美国来，她们的曾祖母还在上面绣了一朵花，结婚的时候她就拿着这块手帕。从此以后，她们家族的女孩只要结婚都会带上这块手帕。然而如今家里已经没人结婚了，因为整个家族就只剩下了这两位老太太。当她们从箱子里翻出这块手帕时，不禁哭了起来。

“你看这手帕上的花，还是那么栩栩如生，似乎都能闻到它的芳香，可惜我们俩都没用上它。唉，我也就算了，你年轻时多么漂亮啊！”霍婷思小姐伤心地说道。

“姐姐，我觉得我倒是没什么，只是你可惜了，等了朱利安那么久，结果他还是战死了……”安莱特小姐叹了口气说道。

“当时就是那样的情况，也不只是我，好多人的未婚夫都战死了。唉，战争啊，太残酷了！”

她们俩沉浸在往日的悲痛中，还好一看到我，她们就想起了自己的任务，于是动手要为我做一件婚纱，把我打扮成一个新娘。

于是她们开始翻找时装书，又做了好多个小的纸样，最终确定了一个样式，就开始动手剪裁起那块意义重大的手帕。一天天过去了，她们在房间里剪啊，裁啊，缝啊，

Kitty

当她们缝完最后一针时，她们俩高兴得像孩子一样。

“姐姐，我真的不敢想象这是我俩做出来的婚纱！这也太美了！”安莱特小姐摸着那婚纱笑着说道。

“谁说不是呢，简直就是奇迹嘛！”姐姐霍婷思说道。

于是，她们将我交给了那位老先生，那位老先生果然将我放在了展览会上最显眼的地方，人们还在我身边放上了一些用纸折成的白色小花和一张介绍这棉布来历的卡片。展览的当天，很多人驻足观看我，有时候甚至还挤得里三层外三层。不过我被锁在了玻璃柜子里，听不到他们发出的赞叹声。

展览会开始几个星期后，一个皮肤黝黑的男人牵着一个小女孩来看展览。那个小女孩衣服皱巴巴的，扣子全掉光了，外套也脏兮兮的。不过看样子那女孩很喜欢我，她一次次地跑到我的展柜来。“爸爸，我想要这个娃娃！”她哀求道。

“那可不行，不过你可以每天都来看她！”那男人对孩子说道。

于是，她每天都来看我。一天，她发现由于工作人员的疏忽，我展柜上的钥匙没有拔下来。女孩看着四周没人，轻轻转动钥匙，打开柜门，迅速地将我抓了出来，之后藏在衣服里就跑了出去。

她的动作太迅速了，我都来不及思考，就这样被她紧紧地夹在了怀里。“爸爸，我累了，要回牵牛花号！”

“好吧，那咱们走吧！”那个皮肤黝黑的男人回答说。

于是他们带我上了一艘大船，原来女孩的爸爸就是这艘船的船长，这个小女孩莎丽将我带上船后根本不敢将我拿出来玩耍，只是将我藏到了一个小筐里，趁着没人的时候和我玩玩。

一天，船靠岸了，船长下船去看望一位朋友，没有带上莎丽。莎丽胆子很大，她趁爸爸离开后，带上那个装着我的筐子也上了岸。岸边有一个大教堂，刚过正午，人们纷纷往教堂赶去，莎丽喜欢看热闹，也跟过去了。

“兄弟姐妹们，”这时，我听到了台上的牧师在讲道，“我告诉你们，圣经上第八条诫命是‘不许偷盗’，如果你们中间有人做过这样的事情，一定要悔改，如果不改正，放任自己继续作恶的话，总有一天会受到严厉的惩罚！兄弟姐妹们，上帝就在我们身边，我们所思所想他都知道，何况偷盗呢？”

听到这段话，我感觉莎丽的身体僵硬了，过了半天她才缓过神来。当莎丽正准备带我回牵牛花号时，天空突然乌云密布，接着传来了震耳欲聋的雷声，大家吓坏了，四处逃散开来。莎丽赶紧朝船上跑去，这时，只听见“咔嚓”一声巨响，在我们前方不远处的一棵大树被劈成了两半，莎丽吓坏了，她边哭边说：“请不要劈死我，我错了，我不该将凯蒂从展览会上偷出来。我要忏悔，请不要劈我！”

又是一声巨响，一个炸雷响彻天空。“哦，上帝啊，我后悔了！我这就把凯蒂还回去，一刻都不停留！”说完，她朝河边跑去，将装着我的筐子放进了河里。

大雨哗哗地下着，我头上雷声轰鸣，不知道莎丽有没有安全到达牵牛花号。我后来就再也没有她的消息了。

第十六章

我被当成古董拍卖

顺着河流漂行，最终我停到了几根木桩中间，被一个小男孩发现了，他非常高兴，说要将我送给他的妹妹凯瑟琳。太阳下山后，那个小男孩带上我和一堆鱼回家了，一回到家，他就将我交给了一个小女孩。那小女孩很得意，她骄傲地宣布："从此以后，这个娃娃就是我的了！"于是，她抱紧我，高兴得咯咯直笑。

这里的小孩喜欢唱歌，凯瑟琳也不例外，大人们则喜欢弹琴，一到夜晚琴声悠扬，这种日子也很美好。

很快就要到圣诞节了，家家户户都为一年一度在大房子里举办的聚会而忙碌着。当然，每个人，甚至是最小的孩子都收到了聚会的邀请函。于是在平安夜这一天，大家都打扮得整整齐齐的，准备去参加聚会。凯瑟琳也向妈妈要了一块印花布给我做了一件新衣服。之后她就拿上我，和家人们一起参加聚会去了。

吃饭的时候，凯瑟琳将我放在膝头，吃完饭后，她就抱着我去了客厅。那客厅真是豪华极了，镜子前点了上百根蜡烛，让这里亮如白昼，而地板上则堆满了礼物，房子的主人正在笑眯眯地给大家分发礼物。这个主人有两个女儿，一个已经结婚了，生了两个儿子，另一个经常被大家提起，是还没有出嫁的霍普小姐，她们俩也在帮忙分发礼物。这时霍普小姐看到了凯瑟琳，然后就将她叫到了另外一边。

“你看这个娃娃，觉不觉得在哪里见过？”霍普小姐将我从凯瑟琳手中拿了过来，对她的姐姐说道，“姐姐，你记不记得我们在一个棉纺织品的展览会上看到过一个娃娃？”

“记得啊，怎么啦？”她姐姐忙着在分礼物，所以头也没回地说道。

“我有一天在报纸上看到，说那个娃娃丢了，你看看这个娃娃是不是我们见过的那个？”

这时姐姐回过头来，她俩走到灯光下，将我拿着仔细研究了一番，又把凯瑟琳给我做的那件花衣服脱下来，这时露出了我在展览会上穿的那件衣服，她们这才确定是我。于是，她俩走到凯瑟琳身边问她是从哪里得到我的，凯瑟琳吓坏了，以为自己犯了什么错，一句话都不敢说。于是她们叫来了她的哥哥，她哥哥将如何捡到我，又如何把我送给凯瑟琳的这一切都告诉给了她们姐妹俩。

“我们应该将她还回去，这不是属于我们的东西！”霍普小姐说道，于是她和凯瑟琳商量了一下，将另外一个娃娃送给她，然后将我还给画家法利，凯瑟琳同意了。

于是霍普小姐费尽周折，终于打听到了法利先生在纽约的地址，将我寄了过去。只是可惜那地址不对，一直都没能将我送还给法利先生，最后只能将我送到了死信处。有个人花了非常少的钱买下了我，将我拿回了家，他妻子看到我后，也没有太高兴，她准备用我做个针插。天啊，这个主意可不太妙，虽然我的身上会绑上很多棉花，但一想到那么多针会插在我身上，我就毛骨悚然。不过这种日子没有持续太久，有一天教会义卖，这家主人准备将我拿去卖掉。

到了义卖这一天，女士们围在桌前看着义卖的商品发出了啧啧的赞叹声。这时，我看到一位女士的眼睛一直看着我。“太好了，我一直想给瑞拉姑奶奶买一个特别的礼物，你知道马上就是她 75 岁生日了，我想这个娃娃她肯定会喜欢！”我听见她对旁边的人说道。

就这样，那位女士买下了我，并将我送给了她的姑奶奶。不过我感觉她的瑞拉姑奶奶可不是那么喜欢我。瑞拉姑奶奶生日那天来了几个祝寿的人，其中有一位老太太，她们称呼她为帕姆小姐，她对我很感兴趣。她拿起我，戴上眼镜仔细端详着说：“嘿，好家伙，你捡到宝啦！这是个花楸木做的娃娃，这么小还这么精致，我还从没收藏过这么好的藏品呢！”

“那就送给你吧！”瑞拉姑奶奶说道。

听到这儿，我高兴坏了，能被赏识自己的人带走是一件幸福的事，何况帕姆小姐还是位有名的玩具收藏家呢。将我拿回去之后，她马上将我身上厚厚的棉花去掉，看到我手脚完好，她高兴得像个孩子。“你看，她有一双匀称的双腿，还是木榫固定的，这里还有她的名字！”她向仆人介绍我。

“帕姆小姐，您看这娃娃大概多少岁了？”女仆好奇地问道。

“难说，”帕姆小姐敲了敲我继续说道，“大概有百余年了！”

“这娃娃真是好看，她是您所有的藏品中最逼真的一个，您看她神情多么甜美！”女仆赞美道。

听到她们的话我心里非常高兴。接着帕姆小姐找来她小时候穿过的一件衣服，剪裁后给我做了件新衣服穿上。从此以后，帕姆小姐到哪里都带上我，因为她将我看成她所有藏品中最珍贵的一个，只要家里来客人，她都会将我当成稀世珍宝一样介绍给别人。

时间一天天过去了，帕姆小姐年龄越来越大。有一天，她要带上我去乡下的朋友家避暑，坐在飞驰的汽车中，她突然想起来要找双手套，于是将我递给一位朋友，她说道："帮我拿一下，这车开得太快了，我怕她飞出去了！"可这话音还没落，那辆车上下颠簸了一下，我果真就飞出去，摔到了一棵大松树的下面。这时那辆车停了下来，只见帕姆小姐和她的朋友还有那位司机全下来了，他们到处找我，但他们可能觉得我不会飞出去太远，因此没到这边来找我，就这样他们没找到我就上车走了。

我又一个人露宿野外了，如果不能陪伴帕姆小姐终老，说实话待在这里也是不错的选择，这里风景很好，空气也新鲜。我不记得在这里待了多少天，大概一个星期吧，有一些年轻男女到这里来野餐，他们发现了我，于是拾起我放在了马车上，可这辆马车是他们租来的，他们下车后，忘记拿走我，我就这样在马车上又待了一个星期。

一天，马车车主的女儿过来打扫卫生时发现了我，她就将我拿去送给了她姐姐的小孩。这时我听到她的姐姐说道："这段时间经常会有人到咱们乡下来收一些老旧的东西，我把我们的旧家具都搬出去了，到时候把那个娃娃放在那个旧柜子上，看看有没有人要那个娃娃！"

"应该不值什么钱，看1元能不能卖出去。"

于是她们将我放在了柜子上。这天来了位老太太，她对我很感兴趣，于是花2元买下了我。

"我本来是想买些瓷器的，没想到却被这个娃娃吸引了！"那位老太太对同伴说道，"说不定这娃娃还是个古董呢！"

我第一次听到古董这个词，后来这个词就一直伴随着我。老太太将我带回了家，她没有孙子孙女，家里就只有她和一个仆人。当她把我放在一个架子上时，我打量了一下这个房间，只见房子的壁炉上写着一个"布"字，我再仔细观察了一下这间屋子的陈设和一些细节，我认出来了，这就是我出生的地方——布尔家！之后，我还看到了那棵老松树，这让我更加确定我的猜测。这就是命运啊，谁能想到在经历了百年之后，我会再次回到这里？

那这位老太太会是菲碧吗？或者，她会是菲碧的一位亲戚吗？后来我才知道，原来她买下了这幢房子，她并不认识房子以前的主人。

和这位老太太在一起的日子很平淡，只是偶尔她会接待一些来参观她旧家具的人。没多久冬天到了，老太太回了城里。我在这间屋子里待着，看到外面一片冰天雪地，听到了从远处教堂传来的钟声，等待着到了春暖花开的时候，老太太会从城里回来。

然而很可惜，我没能等到那位老太太，一直到夏天过完了她都没有出现。到了九月份，进来了几个陌生的男人，他们检查着屋里的每一件物品，并给我们都贴上了标签。

“好了，这些东西都编好号了，这么多旧东西应该能卖个好价钱！”我听见一个人说道。

“是啊，我看这天气也不错，明天的拍卖会应该会来很多人！”另一个人也高兴地说。

“那可不，这些旧东西可都是古董，这年头，大家听到古董这两个字，眼睛都会放光。”

听到他们的话，我心里有些不安，什么拍卖会我听不明白，但愿能有好运吧，我心里暗自祈祷。

第二天一大早，那些人来将家具都搬了出去，放在了外面的草地上，之后将我放在了一个柜子上。我看到来了很多人，那些小汽车已经把这里围得水泄不通。

很快我就落入了那些人的魔爪，他们将我翻来翻去，不停地动我的胳膊和腿，还掀我的裙子，简直太让我生气了。不过好在还是有几个人对我不错，其中有个穿着黄裙子的女孩对我很感兴趣，她请家人将我从柜子上拿下来后好好地端详我，之后说道：“姑姑，我想要这个娃娃，爸爸给了我 1 元钱不知道够不够。”

“这个娃娃已经很旧了，你看她身上的漆都掉了！”那孩子的姑姑说道。

“我就要她！只是有点旧嘛。”那孩子满不在乎地说。

那孩子这句话给了我很大的鼓励，让我有信心来面对接下来的活动。

这时走过来一位老先生，他留着白胡子，脖子上还挂着个小镜子。他看到我时，拿起他的镜子看了很久，但我能感觉到从他的眼睛里流露出的善意。

过了好久他才将我放到柜子上。“这个娃娃年代久远，是我国早期的艺术品，如今这样的娃娃已经很少见了。”他对同行的人说道。

他的这句话被昨天贴标签的人听到了，只见他们快速记录着，还和旁边的同伴小声嘀咕着，最后还朝我伸了伸大拇指。

拍卖会即将开始，一大群人涌进前面的院子里，有的坐在凳子上，有的直接坐在地上。这时昨天贴标签的那人拿了个锤子出来，接着拿出了一个瓷狗，不过人们对这瓷狗不感兴趣，最后以 5 元成交了。不过有时候若是碰到大家都感兴趣的东西时，大家会不断地叫价。

这时轮到我了，只见拍卖师说道："这个娃娃是早期的美国艺术品，已经有百余年的历史了，起价 1 元！"

他们在下面叫着价，一下子就涨到了 10 元，人们还在不停地往上加价，经过长时间的竞价，最终以 51 元成交！51 元！我都没想到自己会卖出这么多钱！

买下我的果然就是那位老先生，他拿到我后小心地用真丝手帕包起我，之后坐着汽车又转火车，终于到了繁华的纽约大街上。原来，这位老先生是受亨莉小姐所托去购买一些古董，亨莉小姐看到我后也非常惊喜。"真是难得，过了一百多年还保存得这么好！"她赞叹道。

"你高兴就好！"说完，他笑了笑就拿上帽子走了。

后来我经常看到这位老先生，昨天他还来看过我。反正只要他出门都会带一些东西来送给我，亨莉小姐说他都快把我宠坏了。

在这条街上，我可是小有名气的，亨莉小姐将我的名字写在一张纸上，然后别在我的衣服上。之后人们走过橱窗都会和我打招呼。比如两位艺术家每次散步回来都会跟我说："凯蒂，你好啊！"我则坐在那里，保持着微笑。

尽管我历经岁月的磨难，身上的油漆也掉得差不多了，再也没有往日的风采，但我的笑容依旧迷人。

在古董店的日子很平淡，偶尔会有一些顾客光临，他们有的也会对我赞赏有加。谁会是带走我的下一个人呢？看到那些人我都暗自思考着。亨莉小姐将我的价格定得很高，有人说即使我是个古董，那价格也高得太离谱了。所以我认为能买下我的，说不定还是真正欣赏我的人呢！

坐在橱窗中看风景时，我看到高楼间的天空中有一个像是巨大蜻蜓的东西在滑翔。“快看，飞机！”我听到小男孩叫道，“将来我也要坐飞机！”

也许有一天我也会坐上飞机，飞到高空中。在经历了这么多事情后，我对未来充满了希望，我内心中也充满了前所未有的活力与激情。要知道对于一个木头娃娃来说，再经历个一百年也不算什么！充满盼望地过着每一天，这日子太美妙了！